KB096696

평범한 하루에 다가온 너

평범한 하루에 다가온 너

윤세현 지음

목차

평일 - 46

친구 - 50

아르바이트 - 54

준비 - 60

반복 - 64

말 - 70

중간고사 - 72

영화 - 78

마음 - 84

자세 - 88

에필로그

그 애는 다른 애들과 달랐다.

그 애는 처음부터 다른 애들과 달리 나에게 인사를 해줬고 친근하게 다가와 줬다.

다른 애들이 그 애가 왜 나랑 친하게 지내는지 이해가 안 된다고 했지만, 그 애는 하루도 빠짐없이 나에게 친구란 존재로 따뜻한 햇살처럼 다가왔다.

나는 그 애에게 고맙다는 말도 못 했는데 그 애는 매일 나에게 항상 잘해주었다.

그래서 그런지 나는 그 애를 볼 때마다 항상 심장이 뛰었나 보다.

너와의 첫 만남

2013년 4월 23일 화요일

새 학년이 시작된 지 약 한 달이 지난 오늘. 오늘도 어김없이 펜트하우스에 나 혼자 사는 것처럼 느껴지는 고독하고 외로운 학교에 왔다. 애들은 평소처럼 나에게 다가오지 않았고, 나도 아무 일 없단 듯이 창문 밖을 내다보고 있었다.

창문 밖에서 새가 지나가는 것을 보고 있을 때 문이 드르륵 열렸다. 선생님께서 들어오셨다. 평소와 다를 것 없었다. 그런데 이번엔 누가 뒤따라오고 있었다. 전학생이었다.

평소라면 다른 애들한테 무관심한 것처럼 그냥 넘겼겠지만, 이번엔 달랐다. 전학생한테 눈길이 가더니 나의 심장이 쿵쾅쿵쾅 뛰기 시작했다. 딱히 잘생긴 편도 아닌데 눈길이 가다니, 나 진짜 오늘 좀 이상한가 보다.

내가 이런저런 생각을 하고 있을 때, 선생님께서 교탁을 치시고 헛기침하시더니 "조용!"이라고 크게 말씀하셨다.

애들은 선생님의 한마디로 조용해지더니 모두 다 전학생을 바라보았다. 우리 반 아이들이 모두 걔를 바라보게 되자, 다시 교실이 소란스러워졌다.

선생님께서 우리를 바라보고 한숨을 쉬시며 무언가 말씀하시려는 순간, 전학생이 교탁 앞에 서서 말했다.

"안녕, 내 이름은 허지호야. 잘 부탁해."

그 순간 모든 아이들의 시선이 지호에게로 갔다. 애들은 지호를 보며 환호했다. 갑자기 한 남자애가 지호 곁으로 가더니 애들이 우르르 몰려와 지호 곁을 감쌌다.

나와는 완전히 거리가 먼 아이였다. 나는 모든 게 다 평범했지만, 그 아이는 모든 것이 다 완벽하게 보였다. 부러웠다.

전학생이 오고 나서 수업이 시작되었다.

운 좋게도, 그 아이는 나의 옆자리였다. 지호가 나의 옆자리가 되니 나는 모든 걸 가진 느낌이었다. 우리 반 애들의 부러움이랄까? 너무 행복했다!

그러나 나는 그 애와 인사할 틈도 없었다. 그 아이는 나와 달랐기 때문이다. 지호는 매 수업이 끝날 때마다 모든 반 애들에게 둘러싸였다.

계속해서 지루한 수업을 듣고 창밖을 바라보며 지내니 어느새 하교 시간이 되었다. 나는 평범하게 교문을 나가고 평범하게 걸어가서 버스 정류장에 섰다.

그런데 갑자기 나를 부르는 소리가 들렸다. 어디서 들어본 듯한 목소리인데 감이 오지 않아 그냥 이어폰을 꽂고 노래를 고르고 있었는데, 나의 어깨에 누군가의 손이 닿았다.

　"야, 너 김나현 맞지?"

　뒤를 돌아보니 오늘 온 전학생이었다.

　순간 나는 머리에 물음표가 수십만 개, 아니 수십억 개가 떠올랐다. '왜 나를 찾지?'부터 '왜 친한 척하지?'까지 중간에 물음이 셀 수 없이 많았다.

　한 몇 초 뒤에 나는 "응."이라고 답했다.

　그러자 그 애가 말했다.

　"너랑 이야기해 보려고 했는데, 얘들이 매 쉬는 시간마다 나한테 와서 자기 일상? 아무튼 쓸데없는 이야기만 해서 너한테 인사할 시간이 없었어."

　"부럽다. 매번 친구들한테 둘러싸이고."

　나는 뜬금없이 내 속마음을 말해버려 당황했지만, 다행히도 그 애는 못 들은 것 같았다.

　나는 집으로 들어가 주무시는 아빠에게 이불을 덮어주고 내 방으로 들어왔다.

　이어폰을 끼고 음악 앱에 들어가 음악을 고르고 있었는데 갑자기 알림이 울리더니 머릿속에 그 문자 밖에 생각이 안 났다.

특별한 하루

2013년 4월 24일 수요일

아침에 일어나보니 햇살이 따뜻하고, 기분이 상쾌하고, 새들이 짹짹거리고, 집안은 조용했다.

그렇다. 우리 집은 다른 집에 비해 매우 가난하다. 아빠는 새벽 3시에 나가셔서 저녁 6시에서 7시 사이에 들어오시고 엄마는 도망간 상태이다. 왜 그런진 모르겠지만, 지금까지 연락이 되지 않아 행방불명 상태이다. 엄마는 내가 어릴 적에 도망가서 난 엄마 얼굴을 한 번도 본 적이 없다.

그래서 나는 아빠에게 엄마는 어떤 사람이냐고 물어보지만, 아빠는 늘 조용하다. 아빠는 나에게 잘못이라도 하신 듯 그 말이 나오면 늘 피한다. 나는 그런 아빠를 이해해 보려고 하지만 이해가 안 된다. 그래서 늘 추측하는데 좀 이상한 추측을 하기도 하고 그런다.

마음이 복잡한 것과 달리, 오늘따라 너무 상쾌해서 시계를 보니 8시 40분이었다.

다행히도 시험 기간이라 자습 시간을 갖지만, 늦으면 벌점이 10점이라 빨리 가야 했다.

그래서 나는 빨리 교복을 입고, 양치를 하고, 머리를 빗고, 가방을 챙기고, 양말을 신고, 신발을 신고 나가기 전에 시계를 보니 8시 50분이었다.

버스는 8시 55분에 와서 빨리 가야 했다.

최대한 빨리 뛰어 버스 정류장에 가보니 버스가 오고 있었다. 나는 마음을 가라앉히며 버스를 타 자리에 앉아 창문을 보고 있는데 어디선가 익숙한 얼굴이 보였다.

허지호였다!

나는 허둥지둥 하다가 버스 기사님에게 말했다.

"기사님!! 저기 학생이 뛰어오고 있어요!!"

기사님은 버스를 급히 멈추시더니 문을 열어 주셨다. 걔가 버스에 올라 내 옆자리에 앉더니 고맙다고 말했다.

그렇게 버스는 오르막길을 오르고 내려갔다. 마치 내 마음처럼 말이다.

별 하

2013년 4월 25일 목요일

지호를 도와주긴 했지만, 학교에 늦었다.

늦어서 교실 뒤에 무릎을 꿇고 그 애와 손을 들고 있었다. 수업을 한 시간 정도 날려 먹었다. 가장 중요한 시기에 공부할 시간을 날리다니!! 좀 아쉽고 짜증 나긴 했지만 그래도 허지호와 같이 등교했다는 게 좋았다. 그냥 '좋았다'라는 말보다 너무너무 좋았다. 땅에서 우주만큼이라고 해야 하나? 우주는 끝이 없는 것처럼, 내 마음도 끝이 없었다.

45분이 지난 후 팔에 피가 통하지 않아 느낌이 이상했지만 난 다시 원래 내 모습으로, 내 책상으로 돌아왔다.

그런데 이번엔 내가 좀 이상했다. 관심을 받고 싶었다. 좀 오랜만이었다. 내가 관심을 받고 싶어 한 것은.

나는 아주 잠깐 기대했다. 근데 그 기대가 마치 한순간에 벌어지는 산사태처럼 순식간에 무너져 내렸다.

그래서 나는 당연하다는 듯 생각하고 넘기려고 했지만, 바로 옆에서 웃음소리, 대화 소리, 내가 그리워하던 소리가 들려왔다. 돌아보니 지호가 애들과 이야기하고 있었다. 왜 늦었는지, 모범생 아니었냐며 툭툭 지호를 장난식으로 건들이며 대화가 계속되었다.

그런데 내 앞에는 그냥 나와 16년 동안 함께 해온 공기, 바람이 있었다. 그래서 외롭진 않았다. 거의 3년 동안은 말이다.

하지만 이번에는 외로웠다.

나에게도 이렇게 장난식으로 다가오던 친구들이 있었는데, 다른 애들과 좀 더 특별한 친구가 하루아침에 사라졌다. 저 멀리에 있는 곳으로.

나의 이름을 성을 빼고 불러주던 유일한 친구가 있었다. 그리고 그 친구는 하늘로 갔다. 그때 그 친구는 고작 13살이었다. 그 친구의 이름은 나별하, 보기 드문 이름이었다. 그래서 더욱더 호기심과 관심이 생겼다. 그 애는 이름과 비슷하게 별일까? 아니면 진짜로 별처럼 예쁘게, 나와 다르게 빛날까?

예상 밖이었다. 그 애는 내가 생각했던 것보다 훨씬 더 아름답게 빛나고 있었다. 나와 다르게.

호기심과 관심이 경계와 질투로 변했지만, 별하는 그것을 아는데도 불구하고 질투와 경계의 장벽을 뚫고 나에게 다가와 주었다. 나는 장벽을 뚫고 오는 별하에게 마음을 열어 주었다. 그게 5학년 때 일이다.

그렇게 우리는 무슨 일이 일어나든 계속해서 붙어 다니자며 약속하고 맹세하고 또 약속했다.

그렇게 1년이 지났다. 우리는 처음 만났을 때 보다 더욱더 돈독해져 있었고 아무도 우리의 사이를 갈라놓을 수 없었다. 계속 지내다 보니 졸업이 코앞이었다. 우리는 같은 중학교에 배정받았었다. 근데 졸업식 날, 그 애는 가버렸다.

오전 10시 30분 30초.

별하는 원래 하지도 않는 지각을 하여 뛰어오다 술에 취한 운전자 차에 치여 별처럼 매우 빛나던 아이가 가버렸다.

근데 나는 별하가 뛰어오는데 차가 다가오는 걸 보고도 너무 몰라 아무 말도 해주지 못했다.

그래서 더욱더 후회되었다. 내가 차가 온다고 외쳤다면, 별하가 살 수 있었을까? 외쳤다면 어떻게 되었을까?

별하가 죽었을 때 나는 미치도록 후회했었고 내 탓을 하기 시작했다. 그래서 나는 별같이 빛나던 별하의 장례식에 가지 못했다. 그냥 장례식이 진행되던 모습만 봤을 뿐, 나는 들어가지 못했다. 살짝 들여다 본 안에서 그 애는 나에게 평소에 웃어주던 것처럼 사진 속에서 환하게 웃고 있었다.

그리웠다.

별하의 눈웃음, 반짝이던 두 눈, 통통한 볼살, 따뜻한 손, 사과같이 예쁜 얼굴.

모는 게 그리웠다.

그래서 나는 가끔 찾아가곤 한다.

환하게 웃고 놀아야 하는 나이에 떠난 별하가 보고 싶을 때마다 찾아갔다.

오늘도 가야 할 거 같다.

소원

2013년 4월 26일 금요일

오늘도 다른 날처럼 버스를 타고 학교에 가 자리에 앉았다. 오늘도 지호를 마주쳤지만, 인사를 하고 싶지 않았다.

뭔가 멀어지고 싶다는 느낌이랄까. 걔도 내 표정을 봤는지 오늘은 다가오지 않았다.

그냥 오늘 하루는 멍때리며 밖에서 지저귀는 새들을 보며 학교를 마무리하고 집에선 음악을 들으며 누워있었으면 좋았을 텐데.

그런데 오늘 하루는 나를 가만히 두지 않았다. 갑자기 선생님들이 나보고 이래라저래라 일을 시키더니, 애들까지 나보고 빵 셔틀을 시키며 나를 가만히 두지 않았다. 나는 초콜릿 달 토끼 빵, 바나나 딸기 를, 스디거가 들이있는 젖소 모양을 띤 흰 우유 맛을 가진 우유빵을 골랐다.

양손 가득 무언가를 갖고 계단을 올라 3층으로 가려고 했다. 그런데 2층에서 일진 무리가 나를 괴롭히던 이서민을 괴롭히는 게 보였다. 나는 꼴 좋다고 조용히 지나가려고 했지만, 그 애는 나를 가만히 내버려 두지 않았다. 갑자기 나를 손으로 가리키더니 말했다.

"저놈이 그랬어."

그래서 그 일진 무리는 나를 불러 손짓하더니 나도 무릎을 꿇게 하였다. 어이없었다. 걔의 거짓말 때문에 나의 귀중한 시간이 없어진다는 게 화가 났고 받아들일 수 없었다. 결국엔 나는 꾹 참고 참아 나의 마음을 다스렸지만, 일진 애들은 내가 나의 마음을 다스리는 것을 가만히 두지 않았다. 일진 애들은 내 어깨 위에 손을 올리고 토닥이며 말했다.

"네가 1학년 2반 찐따 새끼냐?"

"친구 하나도 없고 맨날 창밖만 바라본다는?"

"서민이한테 얘기 잘 들었다, 엄마는 도망쳐서 행방불명이고 아빠는 건축할 때 재료 옮기는 역할을 해서 반지하 주택에서 산다는 네가 김나현이구나?"

이 말 때문에 그들은 선을 넘어 버렸고 나는 선을 지킬 필요가 없었다. 결국 나는 자리에서 벅차게 일어나 계단으로 올라가려고 했다.

그런데 갑자기 일진 무리 중 한 명이 나의 옷깃을 잡더니 자기 쪽으로 내려버렸다. 그 순간, 모든 게 슬로우 모션으로 흘러갔다. 나는 내 머리가 바닥에 부딪혀 죽을 거라는 예감이 들었다. 그래서 그런지 나는 소원을 빌게 됐다. 누구든 좋으니 나 좀 살려달라고,

죽기 싫다고. 영화 속에서 왕자가 공주를 구하거나 공주가 왕자를 구하는 것처럼 나도 영화 속처럼 도움을 받아서 살고 싶었다.

그러나 영화는 영화일 뿐. 나는 뒤로 넘어지고 있었고, 내 몸이 점점 바닥과 가까워졌다. 그래서 나는 쓰레기를 그냥 쓰레기통에 버리듯이 마찬가지로 소원을 그냥 버렸다.

응급실로 실려 갈 준비를 하던 그때, 누군가의 발소리가 들렸다. 그 소리는 다급하게 올라오는 발소리였고, 슬로우 모션의 효과를 받지 않았다. 아주 선명했다.

고개를 돌려보니, 교복에 허지호라고 이름이 크게 박혀있었다. 근데 그 빠른 발소리는 멈추지 않았다. 지호가 나에게 오고 있었다. 지호가 거의 다 올라온 동시에 슬로우 모션이 풀려버렸고 나의 머리는 계단으로 향해가고 있었다. 지호가 후다닥 달려오더니 두 큰 손으로 나의 허리와 머리를 받쳐주었다. 받쳐준 순간, 슬로우 모션은 끝나있었고 일진 애들은 당황하고 있었다. 걔네 들은 "튀자!"라고 하더니 금방 달아났고 우리 둘은 그 상태 그대로 있었다.

이서민은 입 모양으로 욕을 하더니 달아났다.

우리는 계속해서 그 상태로 있었고, 종이 치자 내가 일어나

"고마워, 너 아니었으면 진짜 머리 박아서 응급실로 실려 갈 뻔했어. 이 은혜 꼭 갚을게."

말하고 나서, 사과처럼 빨개진 얼굴을 가리고 빠르게 계단을 올라갔다.

은혜

2013년 4월 29일 월요일

어제 죽을뻔한 고비는 넘겼지만, 신세를 져버렸다.

지호 말로는 당연한 일이라고 안 갚아도 된다고 하지만 계속 신경 쓰여서 집중이 안 된다. 그리고 어떻게 은혜를 갚아야 할지도 모르겠다. 신세를 진 이후로 이 사건이 계속해서 계단을 오르고 내려갈 때마다 그 상황이 떠올라 미치겠다!

계속해서 떠올라 모든 일에 집중이 안 된다는 것은 사실이지만, 이제 이서민과 일진 무리가 날 건드리지 않았다. 이서민은 나에게 빵 셔틀도 시키지 않았고 일진 무리는 아예 보이지도 않았다.

매우 큰 변화였다.

다행히도 소문이 나지 않아 얘들은 평상시처럼 행동했지만 나와 지호는 그렇지 않았다.

너무 신경이 쓰여서 마주칠 때마다 얼굴을 붉히고 인사를 하려고 손을 올리지만 뒷사람이 인사를 받거나 그냥 지나쳐 인사를 하지 못하게 되었다.

이 변화들 말고는 딱히 다른 변화들은 없었다.

분위기상 좀 멀어진 것 같았지만, 그래도 그 순간만큼은 설렜다. 나를 구하기 위해 달려온 남자 주인공. 그냥 드라마 같겠지만 나에겐 진짜로 일어난 일이었기 때문에, 그 일을 상상할 때마다 내 심장은 발버둥을 치며 요동쳤다.

그 후로도 계속 지호가 나를 받쳐준 장면 밖에 생각이 안 나서 하루하루를 얼굴을 붉히며 살았다. 집에 오기만 하면 의자에 앉아 빙글빙글 돌며 꺅 소리를 지르고 인형을 주먹으로 때리기도 하고 뽀뽀하기도 하고 볼을 문지르며 잡아당기기도 했다. 장난 아니었다. 내가 저렇게 험한 짓을 해서 그런지 인형은 버티지 못하고 몇 군데는 터졌고 너덜너덜해졌다.

내 마음도 저 토끼 인형처럼 터질 것 같았다.

잘못된 만남

2013년 5월 1일 수요일

그렇게 하루하루를 인형과 놀다 정신을 차려보니, 벌써 수요일이었다. 오늘도 평소와 같이 알람을 듣고 일어나 세수하고, 아침을 먹고, 양치를 했다. 양치하고 옷을 입는데, 왠지 모르게 구름을 둥 떠다니는 것 같고 느낌이 좋았다.

그래서 난 오늘 운이 좋을 거로 생각하고 나갔다. 나가서 이어폰을 MP3에 꽂고 음악을 랜덤플레이로 설정하고 작은 두 귀에다 꽂은 후, 한 걸음 한 걸음을 내딛었다. 정확히 19번째 걸음을 내딛는 순간, 머리와 이마에 물방울이 톡 톡 떨어지더니 비가 내리기 시작했다. 그래도 나는 우산이 있어서 마음속으로 크게 웃었다.

우산을 펴고 다시 길으리는 순간, 갑자기 차가 엄청나게 빠른 속도로 달려오더니 물을 튀기고 갔다.

이렇게 운이 없는 일들이 반복했지만, 나는 다시 운이 생겼다. 그 타이밍에 맞춰서 사람이 지나간 덕분에 난 물을 한 바가지로 맞지 않아도 됐다. 그러나 그 사람의 행동이 몸이 움찔하면서 소스라친 반응이 웃겨서 픽 웃음이 나버렸다. 그 사람은 나의 웃음소리가 거슬렸나 본지 나를 바라보더니 눈으로 욕을 하고선 이름표를 보고 가버렸다. 나는 별거 아니라 여기며 마침 오던 버스를 타고 학교로 갔다.

버스에서 내린 후 나는 교문을 지나, 입구를 지나, 선생님들을 지나, 학생들을 지나, 2층으로 왔다. 나에게만 외롭게 느껴지는 반으로. 그렇게 외로운 반에서 1교시를 수업하고 2교시를 수업하고 쉬는 시간이 왔다.

할 게 없어서 엎드려서 잠을 자려고 했지만, 이번에는 운이 나를 도와주지 않았다. 뒷문이 쾅 열리며 오늘 흠뻑 젖어서 반응이 웃겼던 남자애가 말했다.

"야! 여기 김나현 있냐? 있으면 빨리 나와라."

걔의 말이 끝나기도 무섭게 얘들의 시선이 나에게로 쏠렸다. 등이 너무 따가워서 일어났더니, 그 애의 매서운 눈빛이 느껴졌다. 만화 같은 걸 보면 다른 인물이 주인공을 노려볼 때 나오는 레이저 같은 것도 보이는 것 같았다.

좀 두려웠지만, 그래도 용기를 내어 나갔다. 나가보니, 그 애와 그 애의 무리가 있었다. 우리 학교 상위권에 드는 무리였다. 순식간에 땀이 삐질삐질 나더니, 땀이 비처럼 쏟아졌다. 무서워서 그런지 눈물이 날 것 같아, 울먹거렸다.

그 무리가 울먹거리는 내 모습을 보더니 당황해서 "야 우냐?"라고 물어봤다. "우리가 그렇게 무섭진 않은데."라면서 농담을 쳤다. 아니, 그 무리는 웃는 표정으로 말했지만, 나는 농담처럼 느껴지지 않아서 더 무서워졌다. 그들이 다가오자 나는 "어어억" 하면서 겁먹은 표정을 지으며 뒷걸음질 쳤다. 계속 뒷걸음질 치다 보니 어느새 벽이 내 뒷길을 막고 있었다. 진짜로 얼굴이 파래지면서, 순간적으로 두 팔을 올려 방어 체제를 갖추게 되었다.

그 순간 벽에서 쿵 소리가 나서 앞을 바라보니 오늘 아침에 물바가지를 맞았던 남자애가 서 있었다. 그 남자애는 내 눈을 죽일 듯이 바라보아서 나는 눈을 어디에다 둘지 몰라서 이름표에 눈을 두었다.

그 애의 이름은 오재원이었다. 이름을 확인하고, 고개를 들었더니, 얼굴이 보였다. 오재원은 진짜 고양이상이었다. 얼굴이 무슨 상인지 떠올리다가 현실을 알아차렸다.

'아, 나 사과해야 하는구나'라고.

그래서 나는 정중하게 구십 도로 숙여 "죄송합니다!"라고 크게 말하고 가려는데 오재원이 다시 날 막아섰다.

"어딜 가, 제대로 갚고 가야지" 하면서 웃었다.

왜 그런진 모르겠지만 그때 내 머릿속에 물음표가 가득 찼다.

그때, 앞에서 누군가가 멈춰 섰다. 누군지 보려고 고개를 이리저리 움직였더니, 지호였다. 지호는 나와 오재원을 빤히 바라보고 있었다. 부끄러워서 얼굴이 빨개졌다. 망했다는 직감이 들어서 주저앉은 순간 종이 쳐서 나는 재빨리 교실로 들어갔다.

학교가 나를 도와줬다. 안도감이 들긴 했지만 이제 일을 어떻게 해결해야 할지 몰라서 머리가 어지러웠다. 그래서 나는 선생님께 양호실에 간다고 말한 후, 양호실에서 두통약을 먹고 누워있었다.

또 문이 드르륵 열리더니 남자애의 목소리가 들렸다. 그 애도 머리가 아프다면서 누워있겠다고 내가 누워있는 곳의 커튼을 열었다.

오재원 얼굴이었다.

어찌나 운이 없던지, 낮에만 운이 좋았었나 보다.

안으로 들어와 커튼을 닫더니 남은 한 침대에 누웠다. 그래도 나는 정신력이 강한 사람이었기에 무시하고 잤다.

그렇게 한 40분이 지났다.

종이 치자 나는 일어나 양호 선생님에게 인사를 하고 문을 열었다. 열었더니, 오재원이 기다리고 있었다. 오재원은 "가자."라고 하며 걸음을 옮겼다. 나도 같이 걸음을 옮겼다.

계속해서 걷다 보니 너무 조용해졌다. 그래서 내가 말을 꺼내려는 순간 오재원이 말했다.

"나랑 데이트하자."

두 번째 친구

2013년 5월 3일 금요일

결국 우리는 연락처를 교환하고 일정을 조율하면서 데이트 같은 걸 기획했다. 뭐 데이트인가.

그렇게 연락해서 우리는 더욱더 가까워졌고 성을 안 붙이고 이름을 부르게 되었다. 연락을 주고받다 보니 학교에서도 재원이가 많이 찾아왔고 만날 때마다 즐겁고 반가웠다. 그렇게 나는 첫 친구가 생겼다. 남자 사람 친구, 줄여서 남사친이 생겼다.

재원이와 가까이 지내게 되었지만, 그만큼 지호와 멀어지게 되었다. 근데 뭐 괜찮았다. 친구 한 명 정도는 생겼으니까, 이 정도는 감당해 낼 수 있을 거라로 생각했다. 나에게 친구는 무엇보다도 소중하고 귀한 존재니까.

그래서 나는 재원이를 자주 찾아가고 연락했다.

할 말이 없어도 "뭐해?"라고 말을 걸며 대화를 시도했고, 시도 때도 없이 틈을 타서 장난을 치려고 애썼다. 재원이는 흔쾌히 나의 연락과 장난을 받아주었다. 그래서 더 좋았다.

나는 다시 한번 생긴 친구를 또다시 잃기 싫어서 최선을 다하고 노력했다. 하늘이 그 노력을 알아주었는지 나와 재원이는 거의 모르는 게 없는 사이가 되었다.

이제 외롭지도, 부럽지도 않았다. 재원이와 가까워진 영향인지 나는 재원이의 무리 애들과 친해졌고 나를 끼워주며 놀기 시작했다.

우리는 데이트 일정을 놀이공원으로 잡았다. 놀이공원은 아이들, 어른, 청소년, 부부, 노인, 커플 등 상관 없이 모두 다 즐기고 웃을 수 있는 곳이니까.

가는 날짜를 5월 4일 토요일, 어린이날 하루 전날로 잡았다. 우리가 가는 곳은 컬러랜드로 상당히 인기가 있는 곳이었다. 그런데 주말 할인 혜택이 없어 주말에 사람이 없기로 유명해서 이곳으로 잡게 되었다. 티켓값은 13,000원으로 내가 생각했던 것보다 비쌌다. 나는 놀이공원을 가본 적이 없고 친구들이 없었기에 이런 경험이 모두 다 나에게는 소중했고 생소했다.

그렇게 모든 계획을 짠 후, 나는 또다시 일어나서, 씻고, 옷 갈아입고, 가방을 챙긴 후 학교로 나섰다. 여기까진 모든 게 평범했다. 근데 이제 나를 기다려 주는 사람이 생겼다. 집에서 나와 조금만 더 가다 보면 골목길 앞에서 재원이가 나를 기다리고 있었다. 내가 재원이의 이름을 크게 부르면 재원이는 손을 크게 흔들고 웃으며 나의 이름을 크게 불러주었다. "김나현"이라고.

그 말을 몇 년 만에 들으니, 기분이 좋았다. 하루를 상쾌하게 시작할 수 있었다. 나는 등을 활짝 펴고 숨을 들이마셨다. 자연의 향이 느껴졌다. 재원이의 냄새도 느껴지며 좋았다. 그렇게 수다를 떨며 학교에 도착했다.

이제 학교에 가도 괴롭지도, 두렵지도, 부럽지도, 외롭지도 않았다. 그리고 가장 바뀐 점이 버스를 타기보다는 학교까지 걸어 다녀서 돈도 아낄 수 있어서 좋았다. 걸어서 학교에 가다 보니, 공부하기 전에 머리를 공부하는 머리로 바꾸고 긍정적인 것만 집어 넣다 보니 공부도 잘되고 집중도 잘 돼서 단점보다는 장점이 더 많았다.

재원이와 이렇게 붙어 다니면서 놀림이나 괴롭힘은 없었냐고? 아니, 당연히 있었다. 나는 그것을 감당하면서 재원이와 친하게 지냈기 때문에 별 타격은 없었다. 근데 재원이는 내가 무덤덤하게 버티고 있는 모습을 보고 괴로웠는지 놀리거나 괴롭히는 얘들 앞에서 다시 놀리거나 괴롭히면 찾아가서 죽여버린다고 했기에 놀림은 더 이상 받지 않았다.

이제부터 지호보단 재원이가 더 많이 등장할 거 같다.

이제 내 마음도 모르겠다.

지호를 향해 있는지, 재원이를 향해 있는지.

그런데 지금은 재원이 쪽으로 더 향해 있는 것 같다.

상쾌한 공기를 마신 영향으로 수업은 개구리가 높이 뛰어서 다른 곳으로 가는 것처럼 빨리 지나갔다. 덕분에 필기도 잘하고 집중도 잘 돼서 원래 잘 안되던 이해가 잘 되었다. 그리고 내가 가장 싫어하던 과목인 과학도 이해가 잘 되어 기분이 엄청 좋았다. 역시 난 공부와 적대적인 관계는 아닌가 보다.

그리고 미술, 내가 원래 그림을 잘 그리지 못해서 선생님에게 칭찬보다는 평가받던 과거였지만, 오늘은 달랐다. 평가보단 칭찬을, 야유보단 박수와 환호를 받았다.

쉬는 시간에는 멀뚱멀뚱 창밖만 바라보던 내가, 빵 셔틀이 되어 매점으로 달려가는 일들이 재원이와 친해진 이후로 줄어들었고, 혼자 앉아 있는 시간도 줄어들었다.

그렇게 애들은 나를 왕따 시키지 않았다. 모둠활동에서도 빠지라는 소리는 듣지 않게 되었고, 애들은 나를 반에 있는 존재로 취급했다. 그러나 그냥 친하지 않은 친구로. 그것만으로도 좋았다.

마지막 시간인 체육, 나는 원래 체육을 좋아하고 잘한다고 선생님들께 칭찬받았지만, 왕따를 받아서, 중학교에서는 나의 실력을 발휘하지 못했다.

그러나 오늘은 달랐다.

실력을 뽐내고 싶은 마음이 막 샘솟고 있었다. 자신감도 같이 샘솟으면서 늘 혼자 시범을 보이던 체육 선생님의 파트너가 되기 위해 손을 번쩍 들었다. 애들은 의외라는 눈빛으로 나에게 박수를 쳐줬다. 이서민만 빼고 말이다. 선생님도 감동하셨는지 같이 박수를 쳐 주셨다.

오늘 하는 체육 활동은 농구였고 나는 자신감이 넘쳤다. 나는 농구 골대로 드리블하며 뛰어서 슛을 넣었다. 공은 손쉽게 들어갔다. 그 후로도 나는 계속해서 시범을 보여주며 공을 넣었다. 연습이 끝나고 게임을 진행하기로 했다. 남녀 나눠서 진행하기로 했는데, 당연히 주장은 내가 아니라 우리 반에서 인기가 많은 강은지와 배소윤이 맡았다.

나는 여태까지 우리 반 중에서 맨 마지막에 뽑혀 맨날 구석에 앉아 있었다. 그러나 이번에는 배소윤이 나의 이름을 불렀다. 가장 먼저 나의 이름을 부르며 나에게 오라는 듯이 손짓했다. 그렇게 팀은 나뉘었고 우리 팀은 나, 배소윤, 신다빈, 강산, 황세연 그리고 나유빈으로 구성되었다.

당연히 예상했을 결과였다. 우리 팀이 이겼다.

근데 그 과정이 뜻깊었다. 애들이 나의 이름을 부르며 패스를 주고 패스를 주라며 손짓하고, 골을 넣으면 박수를 쳐주고 못 넣으면 괜찮다면서, 아깝다면서 위로를 해줬다. 감동적인 순간이었다.

학교가 끝나고 애들은 집에 갔지만, 나는 교실 청소를 위해 위로 올라가 노래를 흥얼거리며 빗자루로 먼지와 쓰레기를 쓸고 걸레로 바닥을 닦고 쓰레기를 버릴 준비를 하고 문을 연 순간 지호가 기다리고 있었다. 그 순간 나는 흥얼거리는 것을 멈추고 머뭇거리다, 지호의 눈을 바라보며 행동을 멈췄다.

눈을 바라보자 많은 것들을 주고받은 것 같았다. 잘 지내는지, 왜 인사 하지 않는지, 왜 버스 안 타는지 등. 다양한 걱정거리와 고민이 그 짧은 순간에 오갔다.

그 정적이 한 몇 초 동안 지속됐다. 그 정적을 뚫고 말을 먼저 건 사람은 지호였다. 첫 마디부터 움찔했다.

"너 오재원이랑 사귀는 사이야?"

그 말이 귀에 스치는 순간, 난 온갖 감정이 섞였다. 혼란스러웠다. 어떻게 답해야 할지도, 어떻게 행동해야 할지도. 나는 모든 걸 모르는 바보처럼 행동하고 싶었다. 그게 가장 나은 선택이니까. 가장 현명한 선택이니까. 되도록 이 선택을 피하고 싶었으나 그 현실이 다가오고 있었다.

옆에서 발소리가 들렸다.

고개를 돌렸다.

오재원이었다.

선택

2013년 5월 3일 금요일

그렇게 나의 고민은 더 깊어졌다.

현실에서 도피하고 싶어졌다.

나에게 이 시련을 왜 주는 건지에 대해서 하늘과 땅 구름, 물, 햇빛, 나를 쳐다보는 눈빛, 다 원망스러웠다.

그냥 이 대답을 피하고 싶었으나 이제 못하게 되었다. 오재원과 허지호 둘 중 단 한 명과의 우정을 지켜야 한다니. 그냥 그 대답과 같았다. 애들이 괴로워한다는, 아빠와 엄마 중 선택하라고 하는 질문과 같았다.

이 애들은 나에게 보석같이 소중한 존재다. 친구니까. 친구로서 우정을 지키야 했다.

난 진실만을 답하고 싶었다. 안 사귄다고.

근데 그때 또 호기심이 생겨버리고 말았다. 내가 대답을 다르게 하게 되면 그때는 어떻게 되는지, 일이 어떻게 진행되는지에 대해서 말이다.

만약 내가 사귄다고 말한다고 치자. 만약 오재원이 나에게 마음이 있으면 사귀자고 해서 지호 앞에서 배신하듯이 커플이 되어버릴 것이고, 만약 마음이 없다면 나는 그냥 공개적으로 지호 앞에서 차이는 것이다. 매우 뻘쭘하게 말이다.

그리고 만약 내가 안 사귄다고 말한다고 치자. 그럼 나는 지호이건 재원이건 둘 중 한 명과의 우정이 더 돈독해지거나, 둘 중 한 명과의 우정은 더 나빠질 것이다.

그렇게 두 애들 앞에서 나는 또다시 고민하고 상상해 봤다. 예를 들자면 사귀면 어떤 경험을 하고 어떻게 될지를 상상해 봤다.

내가 상상을 끝냈을 때는 벌써 5분이 지나있었다. 지호가 시간이 없다는 눈빛으로 나의 대답을 재촉하는데 나는 그 눈빛을 보지 못했다. 그래서 지호가 답을 미루고 자리를 뜨려고 하자.

나는 선택했다.

둘 중에 내게 더 소중하게 느껴지는 사람.

나에게 가족 같고 별하같이 소중한 사람.

세상에 단 한 명뿐인 사람.

나와 저 험한 세상에 대한 고민을 나누고 들어줄 사람.

그리고 된다면 나와 미래를 함께 해줄 사람.

그 사람이었다.

나의 마음에서 아빠 다음으로 소중한 사람.

허지호였다.

그래서 나는 재빨리, "아니!"라고 외쳤다.

아니라는 말과 함께 "나 남친 사귀어 본 적 없어!"라고 덧붙였다.

지호는 발걸음을 멈추더니, 나를 바라봤다.

바라보면서 웃었다. 웃으면서 말했다.

"다행이다. 아직 안 뺏겼네."

컬러랜드

2013년 5월 4일 토요일

그렇게 나는 그 대답을 한 후, 하루 뒤에 재원이와 색깔이 가득한 컬러월드로 갔다.

그 대답을 했을 당시에 재원이의 기분은 나빠 보이지 않았다. 그냥 평소 그대로 행동하고 말을 주고받았다. 그래서 걱정을 내려놓았다.

나는 저녁 8시에 일찍 자서 새벽 1시에 일어났다. 매일 하루도 빠짐없이 출근하고 불평을 하나도 털어내지 않는 아빠를 위해 아침을 차려주고 싶었다.

그러나 역시, 오늘도 일찍 가버렸다.

그래서 나는 다시 방문을 열고 침대에 누웠다. 시계로 알림을 7시에 맞춰놓고선 다시 잠들었다.

아주 끝이 없는 동굴처럼 깊고 깊은 잠이었다. 깨어나기 싫었지만, 알람이 날 도로 깨웠다. 망할 놈의 알람. 시계를 그냥 망치로 산산조각 내고 싶었다. 그냥 더 자고 싶었지만, 재원이의 전화가 나를 일어나게 하고 눈이 번쩍 떠지게 했다.

그제야 정신이 들었다. 나는 오늘 오재원과 컬러랜드를 간다는 것을 기억해 냈다. 나는 후다닥 일어나 후다닥 씻고, 세수하고, 아침을 먹고, 양치하고, 옷을 갈아입고, 화장을 열정적으로 했다. 내가 화장했다는 것을 들키지 않기 위해 색을 연하게 했고 자연스럽게 했다. 청순미를 살리기 위해 흰 티셔츠에다가 멜빵 바지를 입었다. 그리고 좀 더 귀여움을 추가하기 위해서 나는 토끼 머리띠를 착용하고 옆으로 메는 큰 흰색 가방을 착용했다. 그리고 흰색 운동화까지 착용하면 완벽했다. 그렇게 나의 코디는 완성되었다.

나는 모든 준비를 끝내고 나갔다.

골목 끝에 거의 도착하니 저 멀리서 재원이가 평소와 같이 웃으면서 손을 흔들며 나를 반겨줬다.

다행이다. 멀어지지 않아서.

그런데 가까이서 보니 재원이도 멜빵 바지에 토끼 머리띠를 쓰고 있었다. 당연히 맞춘 건 아니었다. 우연이었다. 진짜로.

당연히 재원이도 놀랐다.

"이게 무슨 일?"라고 말하면서 말이다.

그렇게 우리는 이 우연에 대해서 30분 정도 떠들며 370번 버스를 타고 가고 있었다. 이 버스는 라디오를 틀어주기로 유명했다. 일부로 이 버스를 탄 것도 아니었다. 모든 게 다 우연이었다.

그렇게 사연 몇 개가 흘러나왔다. 몇 개는 웃겨서 재원이와 얼굴을 바라보며 웃기도 했고 몇 개는 슬픈 사연이라 조용하기도 했다. 거의 버스 안에 모든 사람이 웃긴 사연에서는 웃은 것 같았다. 뭔가 공동체에 속해 있는 듯한 느낌이었다. 오랜만이었다.

그렇게 계속 사연을 듣고 음악을 들으며 가다 보니, 벌써 도착했다. 눈앞에는 컬러랜드라고 크게 쓰여 있었다. 나는 눈을 반짝거리며 전광판을 보고 있었다. 그러자 재원이는 내 눈앞에서 손을 흔들며 "벌써 신났냐?"라며 장난을 걸었다.

우리는 입구에서 사진을 찍은 후, 안으로 들어가 티켓을 확인받았다. 확인받고 입구에 들어섰을 때 생각보다 인파가 많았다. 들어가자마자 우리는 계획한 대로 가장 인기가 많은 컬러익스프레스를 타기 위해 전력 질주를 했다.

다행히도 줄은 별로 길지 않았다. 그렇게 30분 정도를 기다리고 드디어 롤러코스터에 올랐다. 우리는 당연히 맨 뒷자리에 앉았다. 우리가 앉은 후 안전바가 배 앞까지 내려왔다. 안전바가 내려온 뒤 롤러코스터는 서서히 출발하기 시작했다. 직원분들이 손을 흔들어 주고 지나치는 동시에 속도가 붙기 시작했다.

점점 빨라지더니 오르막에서 속도가 느려졌다. 속도가 점점 많이 느려지더니 그냥 꼭대기에서 멈춰 섰다. 멈춰서고 나서 주변을 둘러보는데, 그 순간 급하강을 했다. 그렇게 롤러코스터가 비명으로 가득했다. 이렇게 멈췄다가 급하강하는 걸 계속 반복했다. 물론 360도를 도는 구간도 있어서 긴장감이 넘치고 진짜 재밌었다. 내 심장도 엄청 빠르게 뛰기 시작했다.

그러나 즐기는 사람 옆에는 괴로운 사람이 있는 법. 재원이는 어지럽다며 두통을 호소했다. 결국 추로스를 사고 앉아서 쉬어가기로 했다.

충분히 쉰 후, 무서운 걸 이미 탔으니 좀 잔잔한 걸 타자고 했다. 그래서 내가 선정한 놀이기구는 회전목마였다. 줄이 길었지만, 한 번에 사람들이 많이 탈 수 있어서 우리 차례는 금방 왔다. 타기 전에 사진은 필수적으로 찍으며 시작했다. 계단을 올라 마차를 지나 양옆에 있는 말 두 마리에 올라탔다. 그렇게 타면서도 브이를 하며 사진을 찍었다. 재원이는 롤러코스터보다 더 신나 했던 것 같다.

회전목마를 다 타고서 나는 재원이의 손을 잡고 재빨리 뛰어가 회전목마 앞에 폴라로이드 사진기를 둔 후 9초 타이머를 두고 자세를 취한 채 사진을 몇 장 찍었다. 몇 개는 괴상한 자세였고 몇 개는 그냥 이쁜 자세였다. 그래도 잘 나와서 기분이 좋았다.

사진을 찍은 후, 출출해져서 점심을 해결하기 위해서 햄버거 가게에서 사 먹었다. 나는 치즈버거, 재원이는 불고기버거를 먹었다. 배고파서 그런지 햄버거는 더욱더 맛있었고, 감자튀김이랑 콜라랑 같이 먹으니 그냥 환상 그 자체였다.

그렇게 햄버거를 순식간에 해치우고 다른 재밌는 놀이기구를 타기 위해 가게를 나섰다.

뭐를 할지 고민이 되었지만, 결국 정한 것은 귀신의 집이었다. 입장권을 확인받고 입구에 들어섰다. 그때 재원이가 의문을 제기했다.

"우리 이거 해야 할까? 이렇게 재밌는 놀이기구들이 사방에 많은데 굳이 무서운 걸 해야 한다고?"

하지만 나는 아무 말 없이 그냥 손을 내밀었고 재원이는 그 손을 잡았다. 그렇게 모험은 시작되었다. 들어서자마자 스피커에서 나는 귀신의 웃음소리는 겁이 별로 나지 않았다. 한 걸음 한 걸음 내딛는 게 무섭던 재원이는 나에게 거의 끌려가는 느낌이었다. 힘겹게 끌고 가다 보니 갑자기 귀신 분장을 한 사람이 우물 속에서 꿈틀꿈틀 기어서 나오더니 소름 끼치는 소리로 웃기 시작했다. 그렇게 재원이는 나를 좀 더 뒤로 끌고 가기 시작했다. 그런데도 귀신은 우리를 놀리는 게 재밌었는지 우물에서 나와서 우리를 쫓아왔다. 쫓기다 보니 나도 긴장이 되고 소름 끼쳐 재원이의 손을 잡고 뛰었다.

아니 잡고 뛴 것 같았다. 전속력으로 뛰어서 다음 귀신으로 넘어가기 전에 보니 내가 잡은 손은 재원이의 손이 아닌 귀신의 손이었다. 재원이는 소리를 지르고 있었다.

"야! 김나현! 나 두고 먼저 가냐고!"

하지만 막상 눈은 감고 있었다. 이 장면을 나는 담아두고 싶어서 귀신님께는 사과하고, 폴라로이드 사진기를 들어 재원이를 찍었다. 사진기의 셔터를 누르는 순간 재원이는 눈을 떴고 민망해져 얼굴이 빨갛게 달아올라 부끄러워했다.

그 이후로 재원이는 겁을 참으며 앞장섰다. 그렇게 재미없게 계속 가다가 결국엔 끝나버렸다. 아쉬웠다.

그래도 그 아쉬움을 가다듬고 다음 목적지를 향해 전진했다!

그다음 목적지는 이곳에서 가장 인기가 많다는 펭귄 버스를 타러 갔다.

그냥 펭귄 인형 탈을 쓴 사람과 펭귄이 앞에 그려진 버스를 타고 놀이공원 한 바퀴를 돌면서 노래를 불렀다. 은근히 신났다. 뭔가 어린이들을 보니 나도 어린이 시절로 돌아가 내 또래 친구들을 보는 것 같은 느낌이었다. 그리고 이층 버스라서 바깥에 풍경을 훤히 볼 수 있었다. 전망이 트이니 나의 눈도 트이는 것 같았다.

그렇게 재미있게 놀다 보니 벌써 6시였다.

오늘 색채 급행, 귀신의 집, 펭귄 버스 컬러로드롭, 컬러의 분노, 컬러라이드, 컬러그네등 모든 걸 컬러플하게 타다 보니 세상도 알록달록해 보였다.

아무튼 재밌었다는 얘기다.

평일

2013년 5월 6일 월요일

다시 월요일이 왔다.

한국인들은 5년, 10년 후에도 이 병에서 헤어 나오지 못할 것이다. 그 병은 바로 월요일 병. 한번 걸리면 치료가 어렵다는 병이다. 그리고 매우 악명도 높은 병이다. 이 병은 한국인들의 90% 이상에게 있는 병으로 알려져 있다. 그만큼 전염률도 높다는 소리다.

그래도 한국인들은 월요일을 싫어하면서 회사, 학교, 학원 등 자기가 가야 할 곳에 간다. 그게 우리들의 일과이고 우리가 해야 하는 일이고 그래야지 하루가 보람차고 뜻깊기 때문이다. 그렇게 나는 또 하루를 월요병에 시달리며 학교에 간다.

오늘따라 재원이가 같이 못 긴다고 하길레 니는 에전처럼 이어폰을 귀에 꽂고 버스를 기다린다.

음악을 들으며 멍때리고 있을 때, 누군가가 나의 어깨를 톡톡 최대한 방해가 가지 않도록 쳤다. 나는 이어폰을 한쪽 귀에서 빼며 뒤를 돌아보았다.

허지호였다.

지호는 나를 보며 빙긋 웃고 있었다. 그렇게 전에 그랬던 것처럼 지호와 나는 얘기를 하며 버스를 타고 학교에 갔다.

학교에 도착하고 실내화를 갈아신고 있을 때, 지호 옆으로 여자애들이 어디선가 나타나 몰려들었다. 다 지호를 좋아하는 애들이어서 지호와 조금이라도 더 친해지기 위해서 그러는 것이었다.

나도 다 알았다. 그래서 마음을 접고 있었지만, 지호의 뜻밖의 발언에 나는 마음 접는 걸 멈추고 그 마음을 색종이처럼 다시 폈다.

그런데 오늘따라 지호는 얘기를 쉽게 꺼내지 않고 나의 눈치를 보며 한마디 한마디를 꺼냈다. 나는 내 눈치를 보나보다고 생각하면서 교실로 들어갔다. 문을 열던 그때 지호도 이야기를 끝내더니 내가 들어오자 따라서 자리로 왔다. 딱 지호가 앉자, 애들이 다시 몰려왔다. 물고기 떼가 먹이가 생기면 모여드는 상황과 비슷했다.

물고기 떼 중에서도 못 끼는 애들이 있다. 그게 바로 나다. 다른 물고기들이 미끼를 향해 모여들지만, 한 물고기가 소외되는 것처럼 말이다. 나는 인기에 따라 차별하는 세상을 욕하며 창밖을 바라보고 있었다. 창밖에는 매우 평화스러웠다. 밖에는 새 두 마리가 날면서 술래잡기하고 있었고, 나비들도 마찬가지였다. 꽃들은 서로가 외롭지 않게 감싸 안아주었다. 처음 느껴보는 것이었다. 이렇게까지 자연이 아름답고 평화로울지는 몰랐다.

그런데 다시 또 다른 생각이 들었다.

자연에는 먹이 사슬이 존재한다. 그 먹이 사슬에서 희생되는 동물들과 곤충들은 살아남기 위해서 최선을 다한다. 그렇게 해서 살아남은 동물들은 승자가 되고 죽은 동물들은 패자가 된다. 자연도 인간 세상과 좀 비슷한 면이 있었다. 이 세상에 살아남기 위해선 동물이든, 식물이든, 인간이든 누구나 최선을 다해 살아야 한다는 것이 비슷했다. 참으로 놀라웠다.

자연의 법칙을 생각하고 있을 때, 정체불명의 여자애가 갑자기 내 앞에 나타나면서 말을 건넸다.

"안녕?"

친구

2013년 5월 6일 월요일

그 애는 무척이나 예뻤다. 화장한 티가 났지만, 누가 봐도 뭐라 할 수 없는, 그냥 아이돌 스타같이 예뻤다.

나는 여자애의 얼굴을 빤히 쳐다보았다. 뭔가 빠져드는 느낌이었다. 나도 그 애의 인사에 대답해야 해서 나도 "안녕!"이라고 외쳤다. 여자애와 이렇게 말해보는 건 거의 몇 년 만이었기에 놀랄 수밖에 없었다. 초등학교에서는 친구가 별하 밖에 없었기 때문에, 말을 섞어본 여자애 중에선 얘가 두 번째이다.

그 애의 이름은 최하연이었다. 이름도 얼굴과 같이 예뻤다.

그렇게 인사를 하고서 종이 쳤다. 어쩔 수 없이 그 애는 자리로 돌아갔고 종이 치자 다시 내 자리로 왔다.

기뻤다.

이러는 경우도 오랜만이었고, 심심할 때마다 얘기할 친구도 생기고 좋았다. 그렇게 하연이와 나는 맞는 점이 진짜 많았고 금세 친해져서 하교도 같이하게 되고 연락처 교환도 하게 되었다. 집에 오자마자 하연이에게 연락이 왔다.

"도착했어?"라고.

그래서 난 "응"이라고 빨리 답장을 보냈다.

내가 "응"이라고 답장을 보낸 후에 대화는 계속 이어졌다. 대화는 주로 아이돌 이야기나 우리 반 애들 이야기였다. 굳이 얘기하자면 누구는 자기 스타일이고 누구는 별로라는 얘기 등을 했다. 여자애들 사이에선 당연한 얘기였다.

연락한 뒤에 시계를 보니 벌써 4시였다. 다른 애들이 학원에 다니는 것처럼 나에겐 아르바이트가 있었다. 알다시피 우리 가족의 형편은 넉넉지 않고 아빠 혼자 벌어오는 돈으로 힘들게 하루하루를 사는 거였기에 얼마전 나는 아르바이트를 시작했다.

그건 바로 편의점 아르바이트였다.

카페, 식당, 청소 등 아르바이트의 종류가 다양했지만, 나는 혼자 있는 시간이 좋았고, 이 편의점은 구석진 곳에 있어서 별로 손님이 없었기에 이 편의점을 선택했다.

아르바이트를 갈 준비를 다 하고 내 방문을 열어보니 아빠가 주방 식탁에서 손으로 얼굴을 감싸며 한숨을 내쉬고 손가락 사이사이에서 물방울이 떨어지고 있었다.

내가 말을 먼저 꺼내서 무슨 일이 있냐고 물으려 했지만, 아빠가 얘기를 먼저 꺼냈다.

"아빠, 잘렸어. 미안하다."

"새로운 직장을 좀 알아보마."

그 3마디뿐이었다.

이 3마디 말고 다른 말은 없었다.

조용했고 침울했다.

난 집을 나섰다.

아르바이트

2013년 5월 6일 월요일

아빠의 3마디를 듣고선 나는 집을 나섰다.

비가 오고 있었지만, 집으로 다시 들어가고 싶진 않았다. 아빠 혼자만의 시간을 주고 싶었다. 그래서 난 그냥 후드티 모자를 쓰고 길을 나섰다. 계속해서 느낌대로 걷다 보니 편의점이었다.

나는 후드티 모자를 벗고 문을 열었다. 들어가니 그 전 시간에 아르바이트하는 언니가 편의점 조끼를 내주며 웃으며 어깨를 토닥여 주고 나갔다. 조끼를 입고 물품 진열을 하고 시간을 봤더니 5시 30분, 손님은 오지 않았다.

손님이 안 올 거 같아서 앉았다. 바로 앉자마자 문 위에 달린 종이 울렸다. 내가 빌떡 일어나 손님의 일굴을 보는 순간, 일굴이 뜨거워진 것 같았다. 그리고, 다리에 힘이 풀려 주저앉아 버렸다.

아빠였다.

아빠는 내가 아르바이트하는 사실을 모르고 있었다. 아빠가 알았다간 아빠의 마음에 상처를 줄 거 같아서 말하지 않았다.

나의 재빠른 판단력으로 나는 후드티 모자를 쓰고 아빠의 물건을 계산했다. 아빠가 산 것은 참이슬 하나, 진라면 작은 컵 순한 맛 한 개였다. 그리고 아빠는 담배 하나를 추가했다. 아빠가 담배를 피우는 건 이미 알고 있었다. 그래서 뭐라 하지 않았다. 가격은 총 합쳐서 6,835원이었다.

고작 6,835원, 다른 가족들에 비해선 매우 적은 돈이었지만 우리에겐 그걸로 두 끼를 해결할 수 있는 돈이었다. 근데 나는 아무 말도 하지 못했다. 아빠가 공사장에서 온 힘을 다해, 하는 일이었기 때문에 뭐라 할 수도 없었다.

아빠에게 미안해졌다. 해줄 수 있는 게 아무것도 없는 딸이라서. 돈도 못 벌어주고, 아빠를 위해 무엇을 해준 게 없었기에 다른 엄마들이 하는 것처럼, 잔소리할 수가 없었다.

그리고 아빠는 나에게 무엇이든 사주려고 했지만 자기 자신에게는 선물을 잘 안 해주는 것 같았다. 그래서 아빠에게 선물해 주기 위해 아르바이트를 시작했지만, 초반부터 망해버렸다.

친구와 색이 가득한 컬러랜드에서의 추억을 쌓기 위해서 13,000원을 써버리고, 스트레스가 쌓일 때마다 혼자서라도 코인 노래방을 가서 노래를 부르는 게 일상이 되면서 결국 단골이 된 나는 순식간에 만원을 써버렸다.

순식간에 내 통장은 마이너스 23,000원이 되었다. 다른 돈, 간식

비까지 포함하면 마이너스 40,000원이었다.

나의 아르바이트비는 한 시간에 5천 원이었다. 보통 하루에 3시간씩 일하니 하루에만 오천 원을 벌었다. 그리고 매일 아르바이트를 하니까 한 달을 30일이라고 치면, 한 달에 45만 원을 벌 수 있었다. 이 돈은 아빠에게 선물을 사주기에 충분했지만, 아빠에게 줄 기회가 없었다. 매일 일찍 나갔기 때문에 아쉬웠다.

친해지려고 해도 계속 아빠가 피하는 느낌이 들어서 친해지기 어려운 나 같달까. 역시 유전자는 속일 수 없구나.

아빠는 진라면에 수프를 먼저 넣고 뜨거운 물을 넣고 젓가락과 종이 소주잔을 가지고 밖으로 나가 야외 테이블에 앉았다. 내가 지호에게 신경 쓰는 것처럼, 아빠에게도 신경이 쓰였다. 내가 너무 아빠에게 무관심했던 거 같아서 괜히 미안해졌다.

이러한 고민으로 힘들어하고 있을 때 손님들이 오셔서 금방 잊어버렸다. 갑자기 다른 날보다 손님들이 많아져서 아빠에게 신경 쓸 여유가 없었다.

그렇게 아빠는 내가 바빠하고 있을 때 조용히 쓰레기를 버리고 가버렸고, 창문 밖을 내다봤을 때는 테이블에 쪽지가 있었다.

어른스러운 내 딸 나현이에게,

나현아, 아빠다.

아빠가 이렇게 편지를 써본 적은 처음인 거 같구나. 미안하다.

아빠가 너와 추억을 많이 쌓았어야 했는데.

변명처럼 들리겠지만, 아빠가 그동안 정신이 없었다. 정말로 미안하다. 너에게 무릎 꿇고 싶을 만큼 아빠가 잘못한 게 많구나.

내가 이미 아르바이트로 돈을 벌고 있다는 것은 알고 있었다. 아빠는 뭐라 하지 않을 테니 걱정하지 말거라.

이미 부모가 돈을 벌고 있는데 자식까지 돈 걱정을 시켜서 돈을 벌게 하다니, 한숨밖에 나오지 않는다.

앞으로 아빠가 미안해할 일이 많을 거다. 사과도 많이 할 것 같구나. 그래도 아빠의 미안한 마음을 알아줘서 내가 사과를 받아줬으면 좋겠구나.

아빠와 달리 오늘도 열심히 사는 나현아.

아빠가 제대로 된 선물을 준 적이 없지만 그래도 아빠가 사랑하는 거 잊지 말거라.

너는 어릴이 때부터 철이 들었다고 칭찬을 많이 들었다. 아빠는 이 칭찬을 들을 때마다 가슴이 조여왔지만, 너는 그냥 칭찬 고맙다고 웃기만 하더라.

그때부터 지금까지 잘 자라줘서 고맙다.

너는 많은 사랑을 받아도 충분한데 오직 아빠에게만 사랑을 받게 해서 미안하다.

아빠가 챙겨주지 못한 만큼 챙겨줄 남자를 만나서 사랑해라. 아빠 같은 사람은 절대 만나지 말고, 내가 사랑하는 남자를 만나서 사랑해라.

아빠가 해준 게 없으니 너를 다른 사람에게 사랑을 받아도 마땅하니 아빠는 뭐라 하지 않겠다.

힘든 일이 있거나 하면 아빠에게 찾아와라.

아빠도 너에게 무언가에 도움을 주고 싶구나.

항상 아빠가 사랑하고 힘내거라.

―너를 항상 사랑하는 아빠가―

편지엔 이렇게 쓰여 있었다.

아빠에게 또다시 미안해졌다.

역시 가족은 마음을 울리는 사람들인가 보다.

준비

2013년 5월 8일 수요일

오늘도 다른 날과 똑같이 학교에 갔지만, 느낌이 안 좋았다.

학교에 가는 내내 이마에서 식은땀이 났다. 교문을 지날 때 그 느낌은 더욱더 심해졌다.

교실에 도착하자, 선생님께서 들어오셨다.

"자, 선생님이 가장 좋아하는 기간이 왔구나! 학교에서 밤을 새울 수 있는 기간, 바로 중간고사다!"

선생님의 웃음소리가 너무 괴상하게 들렸다. 곧이어 우리 반의 절망하는 소리가 들렸다. 선생님은 우리들의 절망하는 소리를 무시하고 안내를 시작하셨다.

"중간고사는 5월 15일이다! 아직 1주일이나 남았으니 열심히 준비하길!"

눈을 찡긋하면서 선생님은 퇴장하셨다.

수업이 시작됐다. 우리 반 전교 3등은 아무 소리도 내지 않았다. 그냥 묵묵히 받아들였나 보다.

나도 물론 공부를 좀 하긴 했다. 한 전교 5등에서 10등 사이를 오갔다. 그래도 이렇게 갑자기 와서 깜짝 이벤트처럼 알려주고 가서 나도 절망적이긴 마찬가지였다. 선생님의 절망적인 발언이 끝나고 나서 영어 선생님이 들어오셨고 우리 반은 문법 세계에 빠지면서 수업에 집중하게 되었다.

수업 시간이 끝난 후 쉬는 시간을 알리는 종이 쳤지만, 우리 반 모두가 자기 자리에 앉아서 영어 시간에 배운 것을 복습하거나, 학원 숙제를 하거나 다음 수업인 국어에 배울 것을 예습하고 있었다. 우리 반도 나름 시험에 진심인 것 같아, 나도 똑같이 그들과 행동했다. 지호도 마찬가지였다.

재원이의 반을 가보니 머리를 숙여 눈을 책상에 고정한 채 책을 읽고 있었다. 그래도 난 알고 있었다. 이런 마음들도 곧 사라질 것이라는 걸. 그냥 작심삼일이다.

오늘은 일기에 그냥 수업하는 내용으로 가득 찰 것 같다. 다들 공부에 집중하다 보니, 다른 시간에도 별로 특별한 일이 일어나지 않아서 쓸 이야기가 없다.

그렇게 오랜만에 침묵했던 쉬는 시간이 지나고 국어 선생님이 들어오셨다. 국어 선생님의 설교와 비슷한 수업이 시작되었다. 원래라면 우리 반이 국어 선생님에게 쓸모없는 질문을 던지면서 시간을 낭비했을 터이지만, 오늘은 그냥 열심히 수업 내용을 정리하면서 수업을 들었다. 덕분에 나도 집중이 잘 되어서 이해가 잘 되었고 공부할 맛도 났다.

다음 시간은 수학, 우리 반이 가장 싫어하는 시간 중 하나였다. 그러나 오늘 하루는 반응이 달랐다. 그래서 수학 선생님이 들어오시더니 안경을 벗으시면서 우리 반을 휘둥그레한 눈빛으로 바라보셨다. 원래 수학 시간에 계속 비판과 질문을 동시에 하던 최예린도 웬일로 집중하면서 선생님께 계속 이렇게 하라면서 칭찬받았다. 계속 이 상태를 유지하면서 수업하고 중간중간에 선생님이 내시는 문제를 맞히자, 수학 선생님은 더욱더 감탄하여 간식을 사셨다.

이번 쉬는 시간도 저번처럼 매우 조용했다. 우리 반답지 않아서 내가 고구마를 10,000개 먹은 것처럼 답답했다. 그러나 이 분위기가 나에겐 도움이 되고 좋았기 때문에 더욱더 파괴하기 싫었다.

고민하는 순간 종이 쳤다.

다시 수업이 시작되었다.

반복

2013년 5월 13일 월요일

안타깝게도 이 분위기는 5일이 지나도 계속 유지되었다.

반복이 된다고 해야 할까. 그래서 따분하고 지루했다. 계속 똑같은 삶이 반복되고 별로 큰일이 일어나지 않았기 때문이다.

오늘도 수업, 수업, 수업, 수업, 급식, 수업, 수업, 자습 반복되었다. 지루했고 또 지루했고 따분했고 다시 따분했고 또 지루했고 또 지루했다.

누군가가 이 따분한 학교생활을 깨줄까 기대하면서 수업을 그나마 열심히 들었지만 역시 없었다. 전교 5등 안에는 들었지만, 공부는 계속하면 지루했기에 나도 노는 시간이 필요했지만, 인기가 없있기에 또 지루했다.

그런 고민을 하면서 시간이 지났다.

계속 공부만 계속해서 하니, 지호에 관한 관심도 줄어들었다. 재원이도 공부에 열중하는지 연락이 잘 안되었고 놀자는 연락도 오지 않았다.

 그렇게 계속해서 수업이 진행되다가 반 애들도 지루했나 본지 쉬는 시간에 놀았고 점심시간에도 놀았지만 그래도 수업 시간에는 열중했다.

 계속해서 시간을 보내다 보니 나에게도 기회가 찾아왔다. 우리 반 애들이 점심시간에 내 이름을 부르고 손짓으로 오라고 하더니 놀자고 했다.

 가보니 애들이 진실게임을 하자고 했다. 하연이도 있었고 지호도 있었고 우리 반 전교 3등 외에도 모든 애들이 다 있었다. 우선 우리는 책상을 구석으로 다 밀고 친한 사람들끼리 양옆에 앉아 원을 만들었다. 친한 사람이 별로 없었기에 내 양옆에는 지호와 전교 3등이 앉았다. 그러나 하연이는 나보다 더 친한 친구들 가운데에 앉았다. 하연이는 내 눈치를 보지도 않은 채로 자기의 양옆에 있는 친구들과 떠들었다. 그래서 나도 신경을 쓰지 않고 내 옆에 있는 지호와도 떠들기도 하고 우리 반에 있는 전교 3등과 미래와 현재에 대한 문제를 주제로 하고 토론하기도 했다.

 애들이 즐겁게 떠들고 있을 때, 우리 반 반장이 게임을 시작한다고 다 조용히 하라고 했다. 그렇게 게임이 시작되면서 침묵이 이어졌다.

 우선 첫 주자는 반장이었다. 반장은 내가 따돌림을 당하고 있다는 것을 알아서인지, 나에게 먼저 질문을 던졌다.

"자 나는 김나현한테 질문할게. 김나현, 우리 학교에서 가장 친한 친구 있어?"

나는 망설이지 않고 대답했다.

"응, 우리 학년에 2학년 7반 오재원."

말하긴 했지만 그래도 걱정됐다. 솔직히 말하자면, 좀 지호의 마음을 떠보고 싶어서 질문을 한 것이다. 나는 긴장한 채로 우리 반 분위기를 살펴보았다. 다들 수군거리고 있었다. 지호는 당황한 기색을 보이지 않았다. 다행이었다. 반장이 다시 분위기를 침묵으로 잡으며 나에게 원하는 사람에게 질문을 하라고 말했다.

"어.. 나는... 우리 반 전교 3등으로 할게.. 혹시 요즘 관심 있는 것 중에서 하나 골라서 얘기해 줄 수 있어..?"

하연이한테 좋아하는 아이가 있냐고 물어보고 싶었지만, 그럴 용기가 없어서 그만뒀다. 우리 반 전교 3등은 요즘 춤에 관심이 있다면서 중앙에 서서 멋지게 춤을 추고 자리로 돌아갔다. 전교 3등은 거침없이 질문했다.

"야 최하연, 너 우리 학교에 좋아하는 사람이나 사귀는 사람 있냐?"

또다시 수군거렸다.

"갑자기? 너 나한테 관심 있는 것도 아니잖아."

최하연이 말했다.

"몰라. 난 연애 그따위에 관심 없고, 그리고 학생은 원래 다른 거 말고 공부에만 열중해야 한다고. 누가 궁금해하는 거 같길래 물어본 거고, 오해하지 마."

우리 반 전교 3등인 유승호가 말했다. 하연이는 알겠다는 듯 고개를 끄덕이며 말했다.

"그렇긴 한데 너 같은 경우에는 공부를 잘해서 공부 말고 다른 거에는 관심이 없겠지만, 나 같은 경우에는 공부에 별로 소질이 없다 보니까 다른 거에 관심이 생기는 거지."

"빨리 대답이나 하라고."

유승호가 답이 궁금한 듯 하연이가 답하는 것을 재촉했다.

"아 알겠다고."

하연이는 기분이 불쾌한 듯 이맛살을 찌푸리며 말했다. 그러곤 다시 찌푸린 것을 풀며 고민하는 표정을 지으며 말했다.

"어.. 내가 눈이 높아서 사귀는 사람은 당연히 없고 관심 가는 사람은 있는데 그 사람은 우리 반에 있고 당연히 남자고 27번이야."

애들이 함성을 지르며 옆에 있는 아이와 수군거리고 몇몇 애들은 잘 어울린다면서 응원했다. 그러고 보니 27번이면 허지호였다.

순간 머리 위에 물음표가 생기면서 자동으로 내 옆에 있던 허지호를 봤다. 자동으로 고개를 돌리고 걔를 바라보니 어이없다는 눈으로 최하연을 바라봤다. 나도 그 시선을 따라가 하연이를 보는데 하연이는 나를 보면서 웃고 있었다. 그것도 비웃는 것처럼 말이다.

그 순간 화산이 폭발하기 전에 끓는 것처럼, 내 마음도 같이 끓었다. 그 끓어오는 것을 참고 또 참았다. 근데 한도에 다다라서 인내심을 잃고 자리에서 일어나 교실을 나가려고 했다. 일어나서 걸음을 옮기려는 순간 누군가가 내 팔목을 잡더니 힘을 주며 나를 다시 앉혔다.

내가 진 것 같아서 매우 분했다.

다시 일어나려던 순간, 나에게 희망을 주는 말을 들었다.

말

2013년 5월 13일 월요일

"난 너 안 좋아하고 딴 애 좋아하는데."

지호가 말했다.

지호가 말하는 순간 우리 반 애들의 시선은 모두 지호한테로 향했고, 함성이 이곳저곳에서 터지기 시작했다. 함성이 터지고 나서 애들은 너나 상관없이 둘이 짝지어서 그 좋아하는 애가 누군지 추리하고 있었다. 수군거리고 있을 때 어떤 애는 침묵하고 있었다. 그 애는 계속해서 바닥만 바라보며 얼굴이 빨개지고 있었다. 결국 걔는 쪽팔림을 견디지 못한 채 교실을 나가버렸다.

내가 하연이가 나간 문을 계속해서 쳐다보고 있을 때, 내 옆에서 보는 시선이 느껴졌다. 고개를 돌려보니 시호가 나들 부담스러울 만큼 빤히 쳐다보고 있었다.

근데 난 말하지 않아도 알았다, 그 애의 마음이 어떤지, 눈빛만으로도 전해졌다. 내 심장이 쿵쾅쿵쾅 요동쳤다. 심장이 내 가슴을 뚫고 나가고 싶어 했고 그 애는 나를 바라보고 있었다. 시선을 딴 곳에다가 두고 싶었지만, 막상 그러지 못했다. 계속해서 이 눈만을 바라보고 싶었기 때문이었다. 눈에서 꿀이 떨어진다는 말이 진짜였나 보다. 그렇게 그 애의 눈을 바라보고 있을 때, 지호는 "알지?"라는 의문의 말을 던졌다. 나는 이미 그한테 빠져있었기 때문에 자동으로 고개를 끄덕였더니 종이 쳤다.

　그 이후로 나는 하나도 집중할 수가 없었다.

중간고사

2013년 5월 15일 수요일

오늘도 재원이와 만나서 평소에 가는 길로 평소처럼 등교했다.

근데 평소처럼 가는 길이었는데도 분위기가 달랐다. 오늘이 중간고사라서 그런지 재원이는 가고 있는데 계속해서 과목별로 나에게 질문을 하며 지금까지 공부한 내용을 물어봤고, 나는 맞는지 틀렸는지 답을 해주었다. 그렇게 질문과 답을 주고받으며 입과 발을 쉴 새 없이 움직이며 학교에 가다 보니 눈 깜짝할 사이에 학교 정문에 도착해 있었다.

현재 시각은 오전 8시 30분. 시험까지 30분 남아있었다. 공부한 내용을 다시 복습할 시간은 25분, 충분했다.

그래서 나는 뛰지 않고 빠른 걸음으로 재원이를 잎질러 학교에 들어갔다.

재원이와 인사는 원래 하지 않았지만, 안 한 채로 계단을 한 번에 두 칸씩 올라가 1분 만에 도착해 복습할 시간을 더 만들었다.

그렇게 실내화로 갈아신고 교실 문을 열고 들어가려던 순간, 어떤 목소리가 나를 멈춰 새우더니 내 어깨 위로 손이 올라왔다.

"야 먼저 가기냐. 치사하긴. 시험이나 잘 봐라."

재원이가 내 머리 위에 초콜릿 하나를 두며 말했다. 나도 모르게 피식 웃음이 나왔다. 나는 내 머리 위에 있던 초콜릿을 들고 교실 문을 열어 내 자리로 향했다. 책상에 가방을 걸어두고 주변을 살펴보니 우리 반 얘들이 거의 다 온 상태였다.

그렇지만 지호는 아직 오지 않았다. 의외였다. 그래서 나는 상당히 놀란 표정을 짓고 자리에 앉아서 머리를 묶고 초콜릿을 먹으며 배운 내용과 공부한 내용을 복습했다. 초콜릿의 달콤함이 입안으로 다 퍼져서 나는 기분이 좋은 상태로 공부해 더욱더 암기가 잘 되었다. 암기에 열중하니 시간이 많이 지나있었다.

현재 시각 8시 55분, 시험까지 5분밖에 남지 않았지만 내 옆자리는 지금까지 비어있었다. 1분이 지나고, 2분, 3분이 지나도 걔는 오지 않았다. 얘들은 복습을 끝내며 스트레칭하고 있는데도 불구하고 오지 않았다. 걱정되었지만, 눈치가 보여서 나설 수가 없었다. 그렇게 마음을 졸여가며 걱정하고 있을 때, 시간이 전보다 빠르게 흐르더니 어느새 1분밖에 남아있지 않았다.

선생님께서 들어오셨다. 계속해서 마음을 졸여가며 기다리니 어느새 식은땀까지 나기 시작했다. 식은땀까지 나면서 기다렸는데도 시간은 냉정했다.

온 긴장과 걱정을 변기처럼 내려버리는 맑고 청량한 종소리가 들려왔다. 종소리가 들려오니 순간 내가 왜 괜히 이런 걱정을 했는지 후회가 밀려왔다. 차라리 공부를 좀 더 해야 했는데, 사랑이 뭐라고 내 시간만 날려버렸다.

후회하며 선생님의 설명을 듣고 시험지를 받았다. OMR 한 장, 시험지 한 장이었다.

1교시는 수학이었다. 거의 모든 과목에 자신 있었다. 시험 시간은 40분, 충분했다. 선생님이 타이머를 시작하기 전, 교실에 크게 부딪히는 소리가 울려 퍼졌다.

지호였다.

선생님께서는 아무 말도 하지 않으시고 시험지를 나눠주시고 타이머를 시작했다. 시작하자마자 연필 소리, 종이 넘기는 소리, 컴퓨터 사인펜으로 OMR을 표시하는 소리, 발 떠는소리 등 다양하게 들려왔다. 첫 번째 문제, 두 번째, 다섯 번째, 열 번째, 마지막 끝까지, 쉽고 빠르게 풀었다. 풀고 나서 시간을 확인해 보니 10분이나 남아있어서 검토를 빠르게 한 번 한 뒤에 엎드려서 체력을 충전했다.

2교시는 영어, 듣기, 문법, 쓰기를 모두 포함하고 있었다. 그래도 쉽고 빠르게 풀었다.

3교시는 국어, 내가 제일 좋아하는 과목이었다. 국어도 저번처럼 풀었다.

4교시는 역사, 역사에서 좀 고비가 있었지만 그나마 잘 본 것 같았다. 4교시까지 시험을 보고 학교가 끝났다.

나온 시간은 1시, 점심은 제공하지 않았기 때문에 재원이와 점심을 먹기로 했다. 이제 재원이와 지호 빼고는 친구가 없었기 때문이다. 그렇게 재원이를 교문 앞에서 기다리고 있는데 지호가 내 앞으로 오더니 말을 걸었다.

"여기서 뭐 해? 누구 기다려?"

"응. 재원이랑 같이 밥 먹기로 했거든, 같이 먹을 친구가 없어서."

나는 빨리 대답했다.

"헐, 김나현 실망이다. 너의 잘난 친구 오재원 말고 멋진 친구인 허지호도 여기 있는데, 친구가 없다니."

지호는 실망한 표정을 지으며 말했다.

"미안, 나 근데 진짜 친구가 없어서."

나와 지호가 대화하는 모습을 본 재원이가 지호를 부르며 오고 있었다.

"지호! 여기서 나현이와 무슨 얘기를 하시는지?"

재원이가 뛰어오며 말했다.

"너희 둘이 밥 먹는 다길래 나도 껴서 먹으려고."

지호가 웃으면서 말했다.

"어이, 그건 안 되겠는데? 나는 이미 나현이와 약속을 잡아둬서 말이야."

재원이가 어깨동무하며 말했다. 그런 나는 어깨동무한 재원이의 팔을 뿌리치며 말했다.

"마음대로 해. 원래 같이 먹으면 더 맛있잖아."

그렇게 나, 재원이 그리고 지호까지 이렇게 3명이 함께 밥을 먹게 되었다. 점심은 그냥 길거리 떡볶이를 먹기로 했다. 가장 저렴하고 맛있기도 했고 만장일치로 결정된 음식이었기 때문이다.

학교 근처에서 어떤 할머니가 하시는 떡볶이집에 들어가 떡볶이 3인분과 김말이 6개, 슬러시 3컵을 시켜서 나눠 먹었다. 학생이 많았기 때문에, 당연히 맛이 보장되었고 맛있어서 결국 핫도그까지 시켜 먹게 되었다. 나에겐 맛있었지만, 지호는 매운 걸 잘 못 먹었기에 잘 먹지 못했다. 또 재원이는 못 먹는 지호를 보며 놀려서 결국 한 대 맞게 되었다.

다 먹고 계산했다. 가격은 총 합쳐서 15,000원, 3명이어서 5,000원씩 나눠서 냈다. 내 지갑에는 총 10,000원이 있어서 5,000원을 내고도 또 5,000원이 남았다. 그래서 나는 돈도 남아도는 김에 아이스크림을 사주려고 했다. 그런데 재원이가 내 지갑을 봤는지, 나보고 아이스크림을 사라고 했다.

"야 김나현, 돈도 남아도는데 우리한테 아이스크림 좀 사라. 우리가 지금까지 해준 게 얼만데 좀 보답하시지?"

그 말에 나는 자존심이 상해서 아이스크림을 사주려고 했던 마음이 사라졌다.

"네가 말하기 전에 생각하고 말했다면, 이미 아이스크림을 먹고 있었을 거 같다."

그렇게 말하고선 나는 집으로 발걸음을 옮겼다. 뒤에선 재원이가 내 이름을 외치는 소리가 들렸지만, 그냥 무시하고 앞만 보고 걸었다.

오르막길과 내리막길, 나무로 둘러싸여 새가 지저귀는 소리가 들리는 길을 지나 앞만 걷다 보니 어느새 집 앞이었다. 집 열쇠를 가방에서 꺼내 문을 열고 안으로 들어가서 가방을 방에다 놓고 옷을 갈아입고 손을 씻었다. 내 방으로 들어와서 핸드폰을 확인해 보니 메시지가 와 있었다.

"나랑 영화 보러 갈래?"

지호였다.

영화

2013년 5월 19일 일요일

오늘은 바로 지호와 영화를 보기로 한 날이다.

오후 1시에 만나서 점심을 먹고 3시에 영화를 보기로 했다. 로맨스 영화를 보기에는 너무 어색해질 것 같아서 내가 먼저 공포 영화를 보자고 제안했다.

나는 6시에 일어나 세수하러 밖으로 나갔다. 밖을 나갔는데 거실에는 아빠가 앉아 있었고 나를 기다리는 눈치였다. 나는 먼저 잠에서 깨기 위해 세수를 하고 거실에 가서 아빠 옆에 앉았다. 아빠가 먼저 말을 꺼냈다.

"딸, 오늘 아빠가 휴가받았는데, 아빠랑 오랜만에 어디 놀러 가지 않을래? 아빠랑 추억도 쌓고 맛난 것도 먹고."

그 말이 끝나는 순간 내 머릿속에는 수많은 내가 원을 그리며 뛰어다니고 있었다. 어떻게 대답할까, 고민을 계속했다. 결국엔 결정

된 것은 없었고 시간만 지났다. 시간이 오래 지나서 아빠가 눈치챈 듯 다시 먼저 말을 꺼냈다.

"아 혹시 아빠가 너무 괜한 부탁을 했나? 친구랑 약속 있니? 약속 있으면 다음에 가면 되지. 굳이 오늘 안 가도 돼."

이런 아빠의 말에 나는 마음이 무거워졌지만, 나에게는 지호와의 첫 약속이라서 거절할 수가 없었다. 그래서 나는 아빠에게 말로 정중하게 거절하고 미안하다고 여러 번 말하고 내 방으로 들어갔다. 오후 1시에 약속이지만 지금은 너무 이른 시간이었기에 나는 좀 더 잠을 청했다.

일어나보니 9시였다. 나는 몸을 일으켜 세우고 여유롭게 준비를 시작했다. 문을 열고 나가서 주변을 둘러봤는데 아빠는 거실에 앉아 있지 않고 집안에도 없었다. 집안을 둘러보던 중 아빠가 나갔다는 쪽지를 보고 나는 그나마 안심했다. 그렇게 나는 다시 한번 세수를 하고 부엌으로 가 냉장고 문을 열었다.

우리 집은 역시 가난해서 냉장고는 텅 비어있었지만 그래도 마음만은 좋아서 그런지 아빠는 나에게 아침밥을 준비해 주고 나갔다. 아빠는 '맛있게 먹고 친구랑 재밌게 놀고 와'라는 쪽지와 함께 맛있는 빵을 두고 갔다. 나는 마음 좋게 빵 봉지를 열고 빵을 꺼내 한 입 먹었다. 단팥빵이었다. 빵 안의 단팥과 빵이 함께 어우러져 완벽한 조화를 이루어 냈다.

그런데 나는 여기서 뭔가 부족하다는 생각이 들어서 냉장고에 있던 우유를 꺼내고 내 방에 있던 라디오를 틀었다. 라디오의 주파수를 내가 좋아하는 라디오로 맞추고 우유를 따르고 한 모금 마셨다.

입 안에 남아있던 달콤함이 우유가 씻어버리면서 단팥빵이 끊임없이 계속해서 들어갔다. 진짜 맛있어서 정신없이 계속해서 먹다 보니 이미 빵은 사라지고 없었다. 너무 아쉬웠다. 그래도 나는 자리에서 일어나 화장실을 갔다.

양치하고 나와 옷을 고르러 방으로 갔다. 옷이 들어있는 서랍을 열고 신중하게 골랐다. 오늘은 줄무늬 티에다가 찢어진 청바지를 입고 머리를 반반으로 나눠서 윗부분만 묶고 화장은 간단하게 연한 색 립스틱을 바르고 볼 터치를 했다.

준비를 끝내고 나니 11시였다. 1시간이나 남아있었지만 약속 장소까지 가려면 50분 정도가 소요되었기 때문에, 나는 집안에 모든 불을 끄고 집을 나섰다. 나는 교통카드의 잔액을 확인하고 지하철을 타 약속 장소까지 갔다. 약속 장소는 식당이 가장 많은 거리로 가기로 했다.

그렇게 나는 10분 미리 도착해 지호를 기다렸다. 기다리는 동안에 나는 노래를 들었다. 역시 노래는 생명 줄과 비슷했다. 노래가 없으면 지루해서 못 살 거 같았다. 계속해서 노래를 연달아 들었지만, 지호의 그림자도 보이지 않았다.

시간은 12시 10분, 지호가 학교에도 평소에 늦지 않는데 늦는 건 처음인 거 같았다. 그래도 나는 희망을 품고서 기다려 보기로 했다.

20분이 지난 12시 30분, 이제 지쳐갔다. 나는 한숨을 쉬었더니 주위 사람들이 나를 쳐다보기 시작했다. 그래도 나는 다시 한번 희망을 품어보기로 했다. 영화가 시작하기 전에는 오겠다는 희망으로 기다렸다.

멍을 때리고 옷이랑 머리도 만지면서 기다리다 보니 벌써 30분이 지나있었다. 영화는 이미 포기한 상태였다. 그래도 나는 한마디라도 듣기 위해서 기다렸다.

그런데 30분을 더 기다려도 오지 않았다. 가장 충격적이었던 것은 나에게 연락이 단 한 번도 오지 않았다는 것이다. 미안하다는 말도 없었고, 못 온다는 말도 없었고, 다음으로 미루자는 말도 없이 그냥 나를 기다리게 내버려 두었다.

기대가 컸던 만큼 실망도 컸다. 그래서 나는 희망 말고 실망을 품은 채로 다시 집으로 향하려고 일어섰다.

집으로 향하기 위해 일어서 건널목의 신호가 바뀌길 기다리며 노래를 고르고 있었다. 내가 좋아하는 노래 장르를 고르고 있었는데, 어디선가 익숙한 목소리가 들려왔다.

"아 이 노래 좋지, 근데 여기서 뭐 하냐?"

나는 목소리를 듣는 순간, 홀린 듯 뒤를 돌아보았다. 뒤를 돌아보니, 내가 그렇게 기다리던 지호가 아닌 재원이가 내 뒤에 서 있었다. 재원이의 얼굴을 보는 순간 내 얼굴은 금세 실망으로 가득 찬 얼굴로 바뀌었다. 내 얼굴을 알아차린 듯 재원이는 얼굴을 만지작거리며 나에게 물었다.

"내 얼굴에 뭐 묻었냐?"

"아니 너 말고 내가 좀 누구한테 실망한 게 있어서."

이번에는 실망한 표정에 실망한 말투를 추가해 대답했다.

그 이후로 우리는 아무 말도 안 했다. 아무 말을 안 해도 어색하지 않았다. 오히려 편했다. 그렇게 건널목 신호가 바뀌며 우리는 걸기 시작했다.

집으로 와서 곧바로 씻었다. 씻고 나와보니 핸드폰에는 메시지가 와 있었다.

"미안해. 오늘 사정 있어서 못 갔네. 혹시 많이 기다린 건 아니지? 다음에 가자."

나는 답장을 보냈다.

"별로 안 기다렸어. 그래, 다음에 가자."

그 이후로 약속은 마지막이 되었다.

마음

2013년 5월 20일 월요일

결국엔 내 주말은 설레는 일도 일어나지 않았고 아무 일도 일어나지 않았다. 그저 내 마음에 실망만 남게 되었다.

아빠와 추억을 쌓지도 못했고 지호와 영화도 보지 못하고 그냥 헛발을 내딛는 거와 다름없었다. 그렇게 허무하게 헛발만 내디딘 주말이 끝나고 다시 일주일 전처럼 학교에 갔다.

오늘도 버스를 타고 세 정거장을 지나 내렸다. 내린 후, 나는 몇 걸음을 더 걸어 앞을 보았다. 앞에는 학교가 보였고 얘들이 분주하게 학교를 향해 걷고 있는 모습이 보였다. 그중에서도 내가 한 명이었다.

느낌이 달랐나. 실레시 않았다. 마치 내가 죽은 것처럼 심장 박동이 느껴지지 않았다.

그냥 평범하게 가고 있었는데 뒤에 인기척이 느껴져서 뒤를 돌아보았다. 뒤를 돌아보니 내 심장은 마치 되살아난 것처럼 전보다 더 빨리 뛰었다. 뒤에서는 재원이가 지호에게 어깨동무하면서 학교에 가고 있었다. 은근히 보기 힘든 그림이었다.

그놈의 사랑은 영원했나 본지 나는 실망을 해도 내 심장은 여전히 지호를 향해 뛰고 있었다. 사랑이 처음으로 원망스러웠다.

나는 물고기처럼 펄떡이던 심장을 급히 진정시키고 나에게 다가오던 재원이와 지호와 눈을 맞추며 손을 들고 인사를 했다. 다행히도 그 두 명은 나의 인사를 무시하지 않고 기쁘게 받아주며 같이 등교했다.

지호는 아무렇지도 않게 나에게 말 한마디도 안 하며 재원이와 시끄럽게 수다를 떨며 학교에 갔다. 그래도 실망은 하지 않았다. 사랑의 힘이 실망보다 컸기 때문에, 이길 수 없었다. 그리고 이 분위기를 망쳐놓고 싶진 않았다. 지호는 이미 다 까먹고 진짜로 즐거워하는 듯 웃으면서 학교에 갔고 나에 대한 실망은 안겨주고 싶지 않았다.

결심하고 나서도 나는 속으로 물어볼까, 엄청나게 고민했다. 선택지는 두 가지, 물어본다는 것과 물어보지 않는다는 것이었다. 이 간단한 선택지로도 나는 학교로 가는 내내 고민했고, 마침내 결정하지 못한 채 학교에 도착하고 말았다.

물어본다면 어떻게 물어볼지, 어떤 말투로 물어볼지, 어떤 문장을 써서 물어볼지, 언제 물어볼지와 같이 세세한 것까지 고민해 가며 생각해 봤지만, 역시나 실패했다.

그러다 나는 이렇게까지 고민하는 내가 너무 한심해 보여서 그냥 사정이 있다고 치고 넘기기로 했다.

그러나 그렇게 쉽게 넘어가지 않았다.

자세

2013년 5월 23일 수요일

결국 이해했다. 솔직히 생각해 보면 내가 이해하지 못할 이유도 없는 거 같았다. 내가 이해하지 못하는 이유가 너무 억지인 거 같아서이기도 했다.

내가 걱정을 많이 했는데 그 사람이 말도 없이 오지 않아서, 내 감정만 상했다는 이유로 내가 좋아하는 사람을 멀리하고 부정하는 것은 너무 억지라고 생각했기 때문이다.

그렇게 나는 마음속으로 여러 생각을 하면서 혼자서 등교했다. 전에는 늘 혼자여서 어색하지 않았지만, 어제도 친구 두 명인 재원이와 지호와 같이 등교했기 때문에 혼자 가는 등굣길이 어색했다. 걸음걸이마저 이색했다. 그리고 손을 어디에 두어야 할시 몰라서 숭간중간에 갈 길을 잃은 손으로 가방끈을 잡았다. 그렇게 나의 어정

쩡한 자세가 완성되자, 그래도 모델처럼 당당하게 걸으려고 생각하고 있었다.

생각을 실제로 옮기기 위해서 나는 용기를 내 걸어보아서 주변 애들의 반응을 살폈다. 애들은 그냥 무관심한 듯이 자기 갈 길만 갔다. 그래서 그냥 나도 모델의 꿈을 포기한 채 그냥 어색한 자세로 걸었다. 계속 걷다 보니 어느새 나도 적응이 되었고, 그렇게 내 자세는 더 자연스러워졌다.

내 자세가 점점 자연스러워진 것처럼 내가 생각하는 자세도 점점 좋아졌다. 그렇게 나는 자세가 좋아진 채로 학교에 도착했다.

문을 열어보니 내 자세를 바꾸게 해준 사람이 앉아 있었다.

행사

2013년 5월 26일 금요일

수업 시작종이 울리기 6분 전에 선생님이 들어오셨다.

"자 출석 부르겠다."

선생님은 우리 반 애들 이름을 차례로 부르셨다. 출석을 부르던 중 하연이 이름에서 끊겼다. 애들은 수군거렸지만, 나는 입을 묵묵히 다물고 앉아 있었다. 이미 관계가 끝나있는 상태였다.

하연이를 결석 처리한 후 선생님은 계속 이름을 불렀다. 출석과 대답은 계속해서 이어지면서 출석 확인이 끝났다. 출석을 다 부르시고 선생님은 모두의 시선을 집중시키기 위해 출석부로 교탁을 두 번 내리치셨다.

"자 아는 애들도 있겠지만, 한 번 디 인내하겠다. 알다시피 우리 학교에서 놀이공원을 가기로 했다."

선생님 말씀이 끝나자마자 얘들이 환호를 지르기 시작했다. 물론 나도 속으로 환호를 질렀다. 선생님은 환호를 멈추고 설명을 계속하였다.

"자 놀이공원은 모두 다 아는 컬러랜드로 갈 거고 날짜는 6월 8일이다. 빠지는 사람들 없이 모두 출석하도록, 이상이다."

'이상이다'라는 말과 함께 맑고 경쾌한 종소리가 귓가에 울려 퍼졌다. 나는 기대를 감추지 못하고 다른 얘들의 반응이 궁금해, 옆에 있는 지호의 반응을 살피기 위해 고개를 돌렸다.

지호도 다른 얘들처럼 신났는지 종이 쳐도 옆에 있는 친구와 떠들고 있었다. 나는 그런 지호를 눈에 담기 위해 계속해서 힐끔힐끔 쳐다보았다. 그 작고 짧은 시선이 느껴졌는지 내가 다음에 시선을 보냈을 때 지호는 내 눈동자를 빤히 쳐다보며 웃고 있었다. 순간 입이 벌려졌고 볼이 타들어 가는 거 같았다. 결국 나는 그 눈빛을 견디지 못한 채로 얼굴을 가리며 시선을 돌렸다.

그 눈빛을 잊어버리고 수업에 집중하려고 했지만 역시나 그 눈빛은 수업을 이겨버렸다. 나는 그 눈빛을 받고 나서도 한 번 더 보고 싶었는지 계속해서 지호 쪽을 보게 되었다. 아쉽게도 지호는 칠판이 있는 정면을 응시하고 있었고 그 눈을 다시 보지 못했다.

그래서 나도 지호와 다른 얘들을 따라서 정면을 응시하고 수업에 집중했다. 수업에 집중하면서 필기도 하고 문제도 풀고 다른 얘들의 발표도 들으면서 수업이 진행되었다. 이번 시간은 국어였는데, 국어 선생님께서 중요 내용만 집어서 정리를 해주셨기 때문에, 내가 공책에 다시 내용을 정리할 필요가 없었다.

그 편한 국어 시간이 지나 쉬는 시간이 왔다. 쉬는 시간에는 애들이 이번에 가는 현장 체험학습에 관해서 이야기하고 있었지만, 나를 끼워줄 거 같진 않아 보였다.

그래서 나는 평소처럼 책상에 엎드려 다음 시간인 체육을 대비해 체력을 충전하기로 했다. 책상 위에 엎드렸는데 눈앞이 까매졌다. 눈앞이 까매짐과 동시에 애들의 말소리가 작아지면서 멀어지기 시작했다. 그러다 말소리가 들렸다.

"야 김나현 일어나, 체육이야."

여자 목소리였다.

"야 그냥 깨우지 마, 알아서 오겠지."

짜증이 난 목소리였다.

"아 그러자."

그렇게 다시 목소리가 멀어지면서 나는 깊은 잠에 빠졌다.

몇 분 뒤에, 내 머리를 만지는 손길이 느껴져서 눈을 떴다. 눈을 떠보니 지호가 나와 눈을 맞추며 엎드려 있었고, 조금 전까지 내 머리를 만지던 손은 자리를 찾지 못한 채 책상 위에 있었다. 그러다 나는 무의식적으로 손을 책상 위로 올려 내 손으로 지호 손을 잡아 내 머리 위에 올려놓았다.

그때는 눈을 제대로 뜨지 않아 잘 보이지 않았지만, 지호는 귀가 빨개진 채로 내 머리 위에 있는 손을 떼지 않고 놀란 표정을 짓고 있었다. 나는 무의식적으로 그 표정이 귀여워 보여서 나는 자동으로 미소를 짓게 되면서 말했다.

"귀여워."

그 이후로는 아무 말도 들리지 않았다. 문이 열리는 소리만 들리고 아무 소리도 들리지 않았다.

체육이 끝나고였을까, 얘들이 교실로 뛰어오는 소리가 들려 나는 잠에서 깼다. 잠자는 숲속의 미녀에 나오는 공주 오로라처럼 깊은 잠에서 깨어난 듯 엄청 상쾌했다. 상쾌함을 느끼는 것도 잠시, 나는 내가 잠을 자는 동안 한 짓이 다 기억나버렸다.

얼굴이 빨개지는 것을 느낄 수 있었다. 내가 한 짓을 후회하며 내 자신을 원망하고 있을 때, 교실 문이 열리며 지호가 들어왔다. 지호가 들어오면서 내 눈과 마주쳤고 서로 눈을 피했다. 서로 눈을 피하고 나는 어떻게 해야 할지 고민하고 있었는데 앞문이 뒷문처럼 열리더니 선생님께서 들어오셨다.

"김나현, 나와라."

선생님은 여섯 글자로 나를 불러내셨고 뭔가 근엄해 보이셨다. 그래서 나는 없는 겁에 질려 선생님을 따라갔다. 선생님은 교무실 문을 열고 자리로 가시면서 따라오라는 손짓을 하셨다. 내가 온 것을 확인하고, 선생님은 나에게 질문하셨다.

"나현아, 체육 시간에 얘들이 수업에 안 나왔다고 하던데, 왜 수업 안 갔니?"

나는 뭐라고 할지 고민하다가 가장 답을 했다.

"어제 늦게 자서, 너무 졸려서 잤어요."

"너무 졸려도 수업은 학생 의무니까 갔어야지. 누가 너 안 깨웠어?"

"누가 깨우긴 깨웠는데, 제가 다시 엎드려서 잤어요."

라고 이어지는 질문에 답했다.

맨 마지막 답변을 듣고서는 선생님이 가도 된다며 나를 다시 올려보내셨다. 올라가서 교실 문을 열어보니 애들은 무리를 지어 떠들고 있었다. 나는 당연히 속해 있는 무리가 없어서 창문 쪽인 내 자리로 가서 늘 그랬듯이 창밖을 바라보았다.

창밖에는 학교 운동장에서 뛰어노는 애들과 학교 담장과 교문이 보였고, 그 뒤로는 몇 대 안 되는 차들이 도로 위를 달리고 있었다. 나무들도 몇 개 있었고 그 옆에는 문구점, 떡볶이집, 미용실 등 다양한 상가들이 있었다. 원래는 창밖을 바라볼 때 그렇게 지루하진 않았는데 오늘따라 창밖을 바라보는 내가 너무 따분했고 지루했다. 그래서 나는 좀 더 새로운 것을 찾기 위해 양을 셌고 걸어 다니는 사람 수도 셌다.

양은 2분 동안 딱 120마리를 셌고 걸어 다니는 사람 수는 2분 동안 30명으로 나왔다. 30명 중에는 머리 긴 사람, 짧은 사람, 탈모인 사람, 양복을 차려입은 사람, 운동복 입은 사람, 원피스를 입은 사람 등 매우 다양했다. 4분 동안 양 120마리, 사람 30명을 세고 나서 바로 종이 치면서 문이 열리고 과학 선생님이 들어오셨다.

수업이 시작됐다.

시작

2013년 5월 29일 월요일

다시 월요일이 시작을 알리며 출발하고, 이틀 뒤인 31일이 5월의 끝을 알려주며 6월이 시작되었다.

나는 6시 30분에 일어나 30분 동안 준비를 한 후 7시부터 공부를 했다. 우선 가장 먼저 책을 펼친 과목은 수학이었다. 수학은 문제가 어려우면 아침부터 머리를 써야 해서, 어려운 거보다는 쉽거나 보통인 문제를 골라 풀었다.

마음속으로 시작을 외쳤다.

문제는 총 30문제였고, 45분 동안 풀어야 했다. 30문제를 40분만에 풀었고, 채점을 해봤더니 뿌듯해지면서 기분이 좋아지고 내가 공부에 소질이 있다는 것이 느껴졌다. 총 30문제 중외 29개를 맞았다. 1개는 실수로 틀렸지만 그래도 나름 뿌듯했다.

그렇게 7시 45분까지 수학 문제를 푼 후, 나는 책장에 있는 학교에서 받은 과학책과 과학 프린트 그리고 노트를 꺼내 책상 위에 놓았다. 과학 문제를 둘러보기도 전에 나는 과학 프린트에 맞는 내용을 펼쳐서 형광펜으로 밑줄을 치며 읽었다. 한번 읽은 후에 나는 그 내용을 노트에 정리를 다시 한번 했다. 나는 내가 배운 것을 내 걸로 만들어야 이해가 잘 돼서 정리했다. 과학 내용을 내 걸로 만들고 나는 다시 책상 위에 있는 프린트를 집어 과학책과 노트를 밀어두고 중앙에 놓았다.

다시 문제 풀이를 시작했다. 주어진 시간은 총 25분이었고, 문제는 15개였으며 난이도는 상이었다. 중간중간에 헷갈리는 문제가 있었지만, 다시 생각해 보면서 답을 찍었다.

25분이 지난 후 나는 가방 안에 있는 파일을 꺼내 파일 안에 과학 프린트와 필통을 넣고 가방 문을 닫았다. 가방 문을 닫고, 가방 끈을 내 어깨 위에 올리고 가방을 멨다. 가방을 메고 우리 집에 켜져 있는 모든 불을 끄고 문을 열었다. 문을 열자, 상쾌한 바람이 나를 맞이해 줬다. 비록 건물로 풍경이 가려져 붉은색 벽돌밖에 보이지 않았지만, 그래도 상쾌함이 느껴졌다.

상쾌한 바람을 온몸으로 느낀 후에 나는 다시 등을 돌려 열쇠로 문을 잠그고 문이 잠겼는지 한 번 더 확인한 후에 골목길로 나섰다. 골목길을 계속해서 걸었다. 골목길 끝이 거의 보이지 않았지만, 꾸준히 걷다 보니 저 멀리서 검은색 물체가 보였다.

나는 그 검은색 물체를 향해 뛰었다. 검은색 물체가 점점 가까워지더니 형체를 이뤘다. 사람 옆모습이었는데 지금 여기에서 이 시간에 기다리는 사람은 오재원밖에 없을 거라고 확신하고 더 속도를 높여서 뛰었다. 계속 뛰었다. 숨이 찰 때까지 뛰었다. 숨이 멎을 거 같았다. 그래서 나는 그 검은색 물체의 앞에 다다랐을 때 숨을 편안하게 쉬기 위해서 멈췄다.

나는 그 검은색 물체 앞에 멈췄다. 쉬지 않고 뛰었기 때문에 지쳐서 고개를 숙여 바닥만 보았다. 그러다 익숙한 목소리가 들렸다.

"김나현이다."

고개를 들었다. 재원이가 아닌 지호였다.

지호와 눈이 마주쳤는데 지호는 눈웃음을 짓고 있었고 나는 당황해서 어쩔 줄 몰라 하고 있었다. 그러다 나는 우물쭈물하며 지호를 제쳐서 골목 밖으로 나가 학교로 가려고 할 때 갑자기 중심이 뒤로 쏠렸다. 나는 팔을 노 젓듯이 돌리며 넘어지지 않으려고 애를 썼지만, 뒤에서 나를 더 세게 당기는 듯했다.

결국 뒤로 넘어갔다. 나는 넘어질 것을 대비해 눈을 질끈 감고 있었는데 넘어지지는 않고 내가 머리를 무언가에 기대고 있다는 게 느껴졌다.

굳게 감은 눈을 뜨자, 위에서 지호가 나를 내려보고 있었다. 얼굴이 빨개졌지만, 움직이지 못하고 그 자리에 그대로 있었다. 그러다 나는 현실을 깨달은 듯이 다시 일어나려고 했지만, 지호가 가방을 잡고 있어서 결국엔 넘어지고 말았다. 엉덩이를 바닥에 찍고 눈을 질끈 다시 감았는데 앞에 다시 누군가가 나타났다. 눈을 떠보니 지호는 아니었다.

재원이었다.

나는 재원이를 올려다보고 뒤를 보았다. 재원이의 시선은 나를 향해 오고 있지 않았다. 정면을 응시하고 있었다. 지호를 보고 있었다. 눈빛이 내가 느끼던 눈빛과는 달랐다. 뭔가 화난 느낌이었다.

"너희 둘이 뭐하냐?"

재원이가 첫마디를 하고 나를 째려보았다.

"네가 뭔데 참견인데."

지호가 말을 받아쳤다.

그 후로는 말이 오가지 않고 눈빛만 오갔다. 그 사이에 낀 나는 매우 난감해졌다.

그래서 그냥 일어나서 학교에 가기로 했다. 학교에 가려고 일어나려고 하자 누군가 다시 나의 머리를 누르고 나를 앉혔다. 골목길이었지만 사람들의 눈길이 우리에게로 쏠렸다.

부끄러웠다. 그렇게 고개를 숙인 채로 계속 앉아 있었다. 그 눈빛 싸움은 끝나는 기미가 보이지 않았다. 계속 앉아 있다가 나는 폴더폰을 열어 시간을 확인했다. 시간은 8시 20분이었다.

10분 더 눈빛으로 싸움하더니 결국엔 내가 싸움을 끝내 학교로 갔다.

전달

2013년 5월 31일 수요일

그 사건 이후로 재원이와 지호는 마주칠 때마다 눈빛으로 째려보며 지나갔다.

내가 이런 말을 해도 되는지는 모르겠지만 유치해 보였다. 솔직히 말하면 나는 지호를 재원이보다 더 좋아한다. 재원이는 친구로서 좋아하고 지호는 친구보다는 더 특별한 감정이다. 재원이는 내 감정을 알 텐데 왜 싸우는지 모르겠다.

당연히 재원이가 나를 좋아한다고 예상하긴 했지만, 말이 되지 않았다. 지금까지 걔가 한 짓을 생각하면 어이없었다. 그래서 더욱더 생각하기 싫었고 떠올리기도 싫었다.

나는 그 둘이랑 학교에 같이 가기 싫어서 혼자 가기로 했다. 가면서 노래를 들었기 때문에 혼자는 아니었다. 눈을 감고 노래를 흥얼거리며 계속 직진했다. 우리 학교 앞에는 횡단보도가 없고 그냥 직진만 하면 도착하는 길이었기에 나는 안심하고 걸었다.

학교에 도착했다고 느껴졌을 때, 눈을 떴고 나는 귀에 꽂힌 이어폰을 빼고 교문 안으로 들어가 안에 계신 선생님께 인사를 했다. 인사를 하고 걸으면서 왼쪽에 있는 운동장을 보았다. 운동장에는 지호와 재원이와 다른 애들이 있었고 농구 경기를 하고 있었다.

지호와 재원이는 아직도 화해하지 않았는지 서로를 째려보고 있었고 다른 팀이라서 공을 뺏을 기회를 엿보고 있는 거 같았다. 그러다 지호가 공을 잡고 있을 때, 재원이가 달려오면서 지호와 부딪히면서 지호는 넘어지고 재원이가 공을 갖게 되었다. 그런데 충격이 컸는지 지호는 일어나지 못했고 그런 모습을 본 친구들이 달려왔다.

달려가려고 했지만, 그러기엔 애들이 너무 많아서 그냥 지호를 바라보며 서 있었다. 지호는 다른 애들의 부축을 받으면서 학교 안으로 들어갔고, 운동장에 재원이만 홀로 남아있었다.

재원이는 머리를 손으로 털면서 교문 쪽을 보다가 나와 눈이 마주쳤다. 걔는 조금 놀란 표정을 짓더니 지호처럼 나를 째려보고 학교 안으로 들어갔다.

나는 재원이와 같이 가기 위해서 학교를 향해 뛰었고 얼마 지나지 않아 금방 따라잡을 수 있었다. 재원이와 계단을 같이 올라가게 되었고 아무 말도 하지 않고 그냥 올라갔다. 그러다 거의 다다랐을 때, 내가 먼저 말을 꺼냈다.

"왜 그랬어?"

"그냥 해보고 싶었어. 질투 났거든."

재원이가 말했다.

그 말을 듣고선 무심하게 말을 던졌다.

"너 나 좋아하냐?"

재원이는 잠깐 멈춰서더니 고개를 갸웃거리며 대답했다.

"그럴 수도?"

상상하지 못한 대답이었다. 내가 놀라서 멈춰있던 사이, 재원이는 거의 이미 도착하기 직전이었다.

나는 따라가면서 재원이의 이름을 조심스럽게 조그맣게 외쳤지만, 걔한테는 들리지 않았는지 대답하지 않고선 직진만 했다. 그런 뒷모습을 보며 나도 교실 문을 열고 들어갔다.

시간은 많이 남아있었고 나는 그냥 엎드렸다.

생각을 정리하기 위해서였다. 상상은 해봤지만, 말이 되지 않았기 때문에 더욱더 혼란스러워졌다.

이걸 고백이라고 하면 나는 어떻게 되는 거고, 내가 좋아하는 지호는 어떻게 되는지 감이 오지 않았다. 아빠한테 말고 내가 처음 느껴보는 사랑이었기에 어떻게 넘겨야 할지도 몰랐고 경험도 없어서 그냥 머리랑 마음이 동시에 터져버릴 거 같았다.

얼굴이 붉어지는 것과 동시에, 선생님이 오셔서 나는 고개를 들어 출석에 대답한 후 눈을 감으며 내 마음을 가라앉혔다.

출석이 계속 불리다 중간에 멈췄다.

애들은 오늘 본 것에 대해 수군거렸지만, 나는 아무 말도 하지 못했다.

수군거림이 멈추면서 수업이 시작되었다.

내 옆자리는 계속 비어있었고, 끝까지 오지 않았다.

진심

2013년 6월 1일 목요일

그 사건 이후 1일 뒤였다.

오늘은 같이 갈 수 있는 사람이 있었지만, 나는 그 사람과 같이 가는 것을 거절했다.

부담스러웠고 여태까지 잘 지내왔는데 걔가 나를 좋아하는 게 말이 되지 않았고 멀어지고 싶었다. 그런데 친구가 단 2명뿐이라서 멀어질 수가 없었다.

그래서 나는 그런 마음을 갖지 않기 위해서 마음가짐을 계속해서 잘 잡기 위해 노력했지만, 도저히 되지 않았다.

하지만 원래 잘 마주치지 않던 재원이를 더 마주치게 되었고 그때마다 행동이 어색하게 느껴졌고 그 상황에서 도망치고 싶었고 그냥 시간을 되돌리고 싶었다.

내가 왜 물어봤을까 후회도 했고 왜 그 상황을 보고 지호가 아닌 재원이에게 달려갔는지 나 자신에게 물어보기도 했다.

인사도 하기 싫었고 그냥 마주치기가 싫었다. 그냥 마주칠 때마다 마음이 불편해졌다. 결국엔 이게 진정한 친구가 맞는지 의문이 생기게 되었다.

그래도 친구가 1명이 아닌 2명이라서 다행이었다. 지호가 있었고 혼자는 아니었다. 그래서 나는 재원이 대신 지호와 가까이 지내기로 했다.

지호는 다행히 오늘 학교에 나왔지만 팔은 정상이 아니었다. 팔에는 저번에 재원이가 밀친 거 때문인지 깁스를 했고 표정이 안 좋아 보였다. 걱정되었다.

지호는 터덜터덜 걸어와서 자리에 무겁게 앉았다. 앉자마자 지호는 엎드린 채로 한숨을 쉬었다. 그런 지호를 보니 원래 느껴지던 밝을 기운은 느껴지지 않고 어두운 기운만 느껴졌다. 많이 달라졌다는 것을 한눈에 알 수 있었다.

다시 문이 열렸고 선생님이 들어오시고 출석을 부르셨다. 선생님은 저번과 다르게 안내 대신 나보고 지호 좀 잘 챙겨달라고 하셨다.

선생님이 나가시자 종이 쳤지만, 지호는 여전히 미동 없이 그냥 엎드려 있었다. 종이 치고 나서 과학 선생님이 들어오셨는데 지호는 그냥 죽은 듯이 움직이지 않았다.

과학 선생님은 신경 쓰지 않고 수업을 이어 나가셨고, 나는 선생님에게 집중한 채로 수업을 들었다. 내 눈이 선생님의 손에 따라

움직였고 그 사소한 손짓에 따라도 움직였다. 계속해서 집중하다 보니 어느새 쉬는 시간이었고 애들은 나가서 다른 반 애들과 떠들기 바빴다.

나는 둘 중의 하나뿐인 친구 지호 옆에 있었고 나는 창문 밖을 쳐다보며 내 눈을 쉬게 됐다. 밖을 바라보며 쉬던 도중, 옆에서 신음 소리가 들리면서 말소리가 들렸다.

"나 언제 일어나면 돼?"

표정과는 다르게 느껴지는 말이었다. 내가 대답하지 않자, 지호는 일어나 방긋 웃었다.

나는 재원이한테서는 느껴보지 못한 설렘을 느꼈고, 지호가 내가 진심으로 좋아하는 사람이라는 걸 알게 되었다.

D - 3

2013년 6월 5일 월요일

어린이공원, 컬러랜드를 가기 3일 전이었다.

우리 반 여자애들은 서로 조를 짜고 얘기하느라 바빴고, 남자애들은 어떤 놀이기구를 탈 것이고 자기가 얼마나 잘 타는지 자랑하기 바빴다.

애들은 선생님이 안내하시기 전에 이미 조를 다 짰는지 서로 얘기를 하면서 상상하기 나름이었다. 나는 낄 조가 없어서 창문 밖을 바라보느라 바빴다. 애들이 활발하게 떠들고 있던 도중 선생님이 소리치시며 문을 열고 들어오셨다.

"조용!"

신생님이 들어오신 걸 보고 애들은 하나둘씩 자리로 돌아가 선생님을 바라보았다. 선생님은 애들이 다 앉은 걸 확인하고 교탁 앞에

서서 3일 뒤인 일정에 관해서 설명하셨다.

"얘들아, 다들 기대하고 알고 있겠지만, 3일 뒤에 우리 현장 체험 학습으로 컬러랜드에 간다. 거기에서 여러 조로 나누어서 이동할 텐데 당연히 원하는 사람이랑 모둠 되게 하지 않을 것이고 제비뽑기로 뽑을 거다."

선생님이 모둠을 제비뽑기로 뽑을 거라는 말에 여기저기서 야유와 아쉬운 소리가 들렸다. 결국엔 그 애들도 제비뽑기에 참여해서 모둠을 이뤘다. 나는 3모둠이 되었다.

3모둠에는 여자애들 반, 남자애들 반으로 이루어졌다. 6명이었는데 그 중, 여자애들은 나 포함해서 친하지 않은 애들과 붙었고 남자애들은 지호를 포함해서 모르는 애들로 이루어졌다. 지호와 같은 모둠이 되어 안심할 수 있었다.

나머지 시간에는 놀이공원에서 모둠끼리 일정을 정할 시간을 주셨다. 우리는 8시 30분까지 교실에 오기로 했고 놀이공원에 갔을 때 롤러코스터를 먼저 노리기로 했다. 평일에 가는 거라서 사람이 없을 거라고 예상하여 놀이기구 타는 목표를 10개 정도로 정했다. 10개를 타기 위해 간식은 중간중간에 먹되 뛰어다니기로 했고, 체력을 위해 잘 자고 오기로 했다. 그렇게 단순하게 일정 계획을 10분 만에 마치고 다른 모둠들이 끝나길 기다렸다.

다른 모둠들은 20분 뒤에 일정 계획을 마치고서는 자리로 돌아왔고 몇 분 뒤에 종이 울리면서 하나둘씩 자리를 떴다.

10분 뒤에 다시 자유를 끝내는 종이 울리자 아이들은 다시 교실로 몰려왔고 조용해졌다.

다음 시간은 수학이었고 수학 선생님이 들어오시면서 수업은 시작되었다. 애들은 여느 때처럼 집중하지 못했고 결국엔 자는 애들도 있었다. 나는 수업을 끝까지 들으려고 애썼지만, 선생님의 목소리는 점점 들을수록 희미해졌고 결국 내 자신과의 싸움에서 지고 말았다.

일어나서 정신을 차려보니, 주위엔 한 명도 없었고 교실은 폐허처럼 텅 비어있었다. 복도도 교실 안처럼 조용했고 밖을 바라봐도 운동장에는 아무도 없었다. 나는 순간 꿈 인줄 알고 볼과 몸 군데군데를 꼬집어봤다. 너무 아팠다.

설마 내가 학교가 끝날 때까지 잔 줄 알고 놀랐지만, 곧바로 다음에 문이 열리는 소리가 들렸다. 하연이 얼굴이 보이다 다시 안 보였다. 그 옆에는 여자애들이 있었는데 뒤에 누군가 있었다.

"와 여태까지 자는 거 봐."

하연이 목소리였다.

그 뒤에 애들이 호응하면서 나에 대해서 뒷말하기 시작했다.

그러던 중 뭔가 낮은 목소리가 들렸다.

"작작 해라. 이제 한 명만 놀리는 것도 지치지 않냐?"

애들은 뒤를 바라보더니 놀라서 문밖으로 나갔다. 그러더니 그 뒤에 있던 낮은 목소리의 그림자가 다가오더니 나는 다시 눈이 감겼다. 감기기 전에 목소리가 들렸다.

"잘자"

목소리가 다정했다.

누군지는 몰랐지만, 편히 잘 수 있어서 좋았다.

마음 편히 잔 이후에 다행히도 점심시간 중간에 일어나서 점심시간 이후에 있는 수업을 들을 수 있었다.

학교에서 그렇게 많이 잤음에도 불구하고 집에 와도 여전히 졸렸다. 나는 그래서 손만 씻고 잠옷으로 갈아입어 깊은 잠에 빠졌다.

저녁에 일어났는데 오랜만에 오래 자서 기분이 좋았고 상쾌했다. 나는 저녁을 준비하고 먹고선 책상에 앉아 공부했다. 공부하고선 욕실로 들어가 깨끗하게 씻었고 다시 침대에 누웠더니 말이 안 되도록 다시 눈이 감겼다.

1년 동안 자지 못했던 잠을 오늘 하루 만에 다 자는 기분이었다. 저녁 10시였다.

D - 2

2013년 6월 6일 화요일

컬러랜드 가는 날까지 이틀 남았다.

어제 일찍 자고 많이 자서 그런지 다른 날들보다 피로를 덜 느낄 수 있었고 커피 3캔 정도를 마신 효율을 느낄 수 있었다.

오늘도 어김없이 학교에 갔고 애들은 어제와 같이 늘 들떠 있었다. 오늘은 1교시부터 체육이었기 때문에 화장실로 가 체육복으로 갈아입었다. 나와서 거울을 보려고 하자 밖에는 여자애들이 이미 거울을 차지한 상태여서 그냥 손으로 머리를 빗질하며 나왔다.

체육복으로 다 갈아입고 키 번호대로 줄을 서서 내려갔다. 키가 작았기 때문에 맨 앞에 서서 이동했지만 나와 반대인 지호는 키가 커서 맨 뒤에 섰다. 자석처럼 극과 극이었다.

이번 체육 시간에는 피구하기로 했고, 원래였으면 잘 참여하지 않았을 것을, 이번에는 컨디션이 좋아 참여하게 되었고 누구든 다 이길 기세였다. 나는 더 활발하게 공을 던지고 받고 받으라고 말하기까지 하여 우리 반 애들의 이목을 사게 되었고 놀란 듯이 나를 쳐다봤다. 그러다 애들은 나에게 공을 적극적으로 주기 시작했고 환호까지 하며 나를 응원했다. 결국엔 우리 팀이 이기게 되었고 애들은 아기처럼 엄청나게 좋아했다. 어떤 애들은 흥분함을 못 이겨 나에게 말을 걸기까지 하였고 어떤 애들은 친구 하자고 하기도 했다. 새로운 경험이었다.

그렇게 나는 신나게 체육을 하고서 옷을 갈아입고 교실로 돌아와서 앉았다. 그러더니 갑자기 애들이 기다렸다는 듯이 내 자리 주위를 둘러쌌다. 둘러싸고서 한 명씩 나에게 말을 걸면서 질문을 했고 나는 놀란 눈으로 주위에 있는 애들은 봤다. 애들은 핫팩처럼 따뜻한 미소를 짓고 있었다. 얼린 내 손과 마음을 녹여주는 것 같았다. 오랜만에 느껴보는 시선이었다.

내가 다른 애들과 비슷하게 평범하게 살았더라면, 엄마가 있었고, 우리 집은 가난하지 않았을 거고 엄마와 아빠에게 무궁무진한 사랑을 받았을 것이다. 그러나 나는 운이 없게도 그러지 못했고 내가 생각하는 평범함과 반대인 집 안에서 자랐다.

그나마 학교생활이라도 평범할 줄 알았지만, 이마저도 반대였다. 원래라면 모두 즐기고 함께 친하게 지낼 것을 나는 그들과 어울리지 못했고 점점 더 소외되어 혼자서 지내게 되었다.

계속해서 웃음뿐만 아닌 모든 걸 잃어가던 나에게 오늘 기적 같은 일이 일어났다. 애들이 날 둘러싸기 시작했고 나에게 말도 걸어주고 웃어주기까지 했다. 심지어 나에게 눈길조차 주지 않는 애들이. 진짜 감동이었다.

하루 종일 울 것 같은 기분이었다. 나는 울음을 삼키며 훌쩍거렸고, 울지 않기 위해서 참다가 이게 뭐라고 웃음이 나왔다. 생각해 보면 별거 아니었지만, 나에게는 진짜 큰일이었다. 지난날들을 생각해 봤더니 나도 모르게 웃게 되었다. 애들은 내가 웃는 표정을 보고 놀라는 표정을 짓고선 같이 웃어줬다,

그러고선 애들은 더욱더 나에게 다가와 말을 걸어주면서 나는 그 말에 대답했다. 그렇게 대화하다 보니 종이 쳤고 애들은 각자 자리로 돌아갔다. 아쉬움과 다음에는 애들이 안 올까봐 걱정했지만, 주위에 있어 줬던 웃음을 생각해 보며 안도했다.

체육 다음 시간은 영어였다. 체육에 있었던 일 때문에 열기를 가라앉히지 못했던 나는 그 열기가 이번 시간까지 영향을 줬다. 나는 원래 손을 들지 않았지만, 이번에는 용기를 내서 손을 들게 되었고 선생님은 의외라는 눈빛으로 나를 바라보면서 나를 가장 많이 시켜주셨다. 수업에도 열심히 참여하고 필기도 꼼꼼히 하니, 수업에 몰입이 되었다. 영어 시간이 이렇게까지 재밌었던 적은 처음이었나.

쉬는 시간의 영향을 많이 받는 영어 시간이 끝나자, 애들은 다시 내 자리로 몰려왔다. 애들은 나에게 공부를 잘한다며 감탄과 칭찬을 해줬고 다시 웃음을 보내주며 말을 걸어줬다.

나는 별하가 떠난 뒤로 이 느낌을 처음 받았다. 진짜 오랜만이었다.

나는 저번 쉬는 시간보다 더욱더 감동해 더욱더 많이 웃었고 말했다. 나도 내 자신이 이렇게 적극적일 줄은 몰라서 놀랐지만, 그냥 내 몸이 하라는 대로 반응했다. 내 몸이 하라는 대로 반응한 덕분에 매우 즐거웠고 나도 다른 새로운 경험을 해볼 용기가 생겼다. 이런 마음으로 다 격파할 수 있을 거 같았다. 고난이든 나무이든 집이든 범죄자이든 모조리 내 마음 하나로 이겨버릴 수 있을 거 같았다.

나는 이번 쉬는 시간에 수업보다도 더 많은 내용을 배웠다. 말로는 다 표현하기 힘들지만, 수업보다도 더 중요한 친구의 중요성과 친구가 있으면 좋은 점 등을 다시 느끼게 되었다. 진짜 이 마음을 말로 표현하지 못했다.

몇십 년이 지나도 나는 이 벅찬 마음을 분명히 잊지 못할 것이다. 이 느낌이 다시 나를 뛰게 해줬고, 웃게 해줘서 인생에서 가장 행복했던 순간이 언제냐고 묻는다면 나는 망설임 없이 바로 지금이라고 답할 것이다.

오늘이 이번 1년 중에서 가장 행복했다.

D - 1

2013년 6월 7일 수요일

컬러랜드를 가기 하루 전인 오늘 나는 설렘을 앉고서 등교했다.

오늘은 재원이와 같이 등교했고 그렇게 부담스럽게 느껴지던 재원이도 어느새 십년지기 친구처럼 엄청 가까운 관계처럼 느껴졌다.

오늘도 어제처럼 적극적이었다. 일어날 때부터 오늘 하루가 다르게 느껴졌고 이빠에게도 아침 인사를 하며 안아주고 배웅했다. 아빠도 나의 모습을 보고선 웃으면서 집을 나섰고 아빠의 웃는 표정을 오랜만에 보니 나도 기쁠 수밖에 없었다.

나는 앞으로도 이렇게 지내기로 마음먹었다. 적극적으로 행복하게 하루를 시작했더니, 하루를 더 활기차게 시작할 수 있었고 전보다 훨씬 더 긍정적으로 생각할 수 있게 되었다. 엄청난 변화였다.

오늘은 전과는 다르게 재원이와 말을 쉴 새 없이 주고받으며 등 교했고 뭔가 평상시보다 조금 더 가까워진 느낌이 들었다. 이야기 하면서 가니까 나는 주위를 신경 쓸 틈이 없었다. 그래서 주위에서 주는 신경을 무시하면서 등교하니 개운한 느낌이었다.

이야기 주제는 다양했고 입이 멈출 수가 없었다. 그러다 나는 몇 초 쉬어가려고 옆을 보았다. 반대쪽 길에는 애들이 별로 없었지만, 눈에 띄는 애 한 명이 있었다.

누군지 알아내기 위해서 옆 모습을 뚫어져라 쳐다봤다. 그 애는 앞에 부모님과 얘기하는 것처럼 보였고, 싸우는 것처럼 보였는데 표정이 좋지 않아 보였다. 그 애의 얼굴을 정면으로 보지 않아서 잘 몰랐는데 바로 그 순간 그 애가 소리를 지르면서 돌아섰다. 소 리는 옆길, 재원이와 내가 있는 길까지 들렸고 엄청 컸다. 선명히 들렸다.

"왜 내가 계속 양보해야 하는데!"

학교로 가는 모든 애들의 시선이 옆길로 쏠렸다. 그 애 앞에 부 모님으로 추정되는 사람은 옆길에 있는 우리의 시선이 신경 쓰였는 지 우리 쪽 길을 보더니 뭐라고 말했다. 이번엔 작게 말해서 잘 들 리지 않았다. 그 말을 들은 후, 그 애의 얼굴이 잠깐 보였다. 얼굴 이 조그맣게 보였지만, 인상이 찌푸려져 있는 게 보였다. 찌푸려진 얼굴이 보이다, 다시 옆 모습이 보였다. 재원이도 소리 지르는 걸 들었는지, 나를 손가락으로 치며 뭐냐고 말했다. 자세히는 모르겠지 만, 얼굴의 크기와 가방이 지호 가방과 매우 비슷했고 옆 모습도 매우 유사했다.

그런데 지호가 소리 지르는 목소리를 들어보지 못해서 애매했다.

그냥 나는 굳이 더 가서 추리하기보다는 그냥 남의 일이라고 생각하고 넘기기로 했다. 나는 그 애가 그랬듯이, 방향을 틀어서 앞을 보며 걷기 시작했고, 우리의 대화는 다시 아무 일 없었다는 듯이 계속 이어졌다. 이번에도 조금 전처럼 이야기 주제가 다양하게 자연스럽게 넘어갔고, 어느새 학교 정문 앞이었다.

학교 계단을 올라서 2층에 도착했을 때 언제 끝날지 모르던 대화가 끝났고 각자 반 앞에 서며 인사했다. 나는 내 번호 밑에 있는 실내화를 집으며 바닥에 툭 던졌고 나는 신발을 벗으며 내 발을 실내화 안에 넣었다. 실내화를 신고 문을 열어야 해서 옆을 봤는데 지호가 멀리서 표정이 안 좋아 보이는 채로 교실 쪽으로 걸어오고 있었다.

나는 그런 지호를 빤히 쳐다보다가 지호와 눈이 마주쳤고, 지호는 놀란 듯이 웃으며 손 인사를 했다. 지호한테 이상한 느낌이 났고 뭔가 어떤 일이 생길 거 같았다. 나도 손을 들며 웃으며 인사를 받아주고 교실 안으로 들어갔다.

교실에는 몇몇 애들이 와 있었고 몇 애들이 뒤를 돌아보지 않았지만, 나와 어제 얘기했던 애들이 뒤를 돌아보며 나에게 지호가 한 것처럼 웃으며 인사했다. 나도 지호에게 한 것처럼 웃으며 손을 들고 인사했고 인사를 먼저 해줬던 애도 방긋 웃으며 다시 앞을 봤다. 나는 창가 쪽인 내 자리로 가서 가방을 걸어놓고 칠판 앞에 쓰여 있는 시간표를 보고 뒤쪽 사물함으로 가서 내 사물함을 열고 오늘 필요한 교과서와 정리할 때 쓰는 노트를 꺼냈다.

오늘 교과서는 국어, 과학, 수학, 음악, 사회, 도덕이었고 나머지 1교시는 창의 체험이었다. 나는 그 교과서들을 들고 자리로 돌아와 책상 위에 한 번 툭 치며 서랍에 넣었다. 그러고서는 가방에 있던 필통을 꺼내고 옆자리를 봤다.

지호는 기운이 없어서 그런지 엎드려 있었고 가방도 멘 채로 자리에 앉아 있었다. 그러다 지호 친구가 와서 등을 두들겨 주더니 지호는 일어나서 수업 준비를 했고 나는 그냥 창밖으로 시선을 돌려 창밖을 보며 머리를 식혔다.

한 10분 정도 창밖을 보고 있을 때 선생님이 출석을 부르러 교실로 오셨고 출석을 다 확인한 뒤, 지호를 부르며 밖으로 나가셨다. 지호도 밖으로 따라 나갔고 반투명 복도 창문으로 보이는 두 사람의 옆 모습이 옆으로 움직이며 완전히 사라졌다.

완전히 사라지고 나서 몇 분 뒤에 국어 선생님이 들어오시면서 수업이 시작됐고 수업이 시작되고 몇 분 뒤에 지호가 다시 돌아왔다. 지호는 나가기 전보다 더 힘이 없어진 채로 돌아왔고 이번에도 어제처럼 엎드려서 수업을 듣지 않았다. 나는 지호와 달리 공짜로 수업해 주는 학교의 수업을 열심히 들었고 정리하면서 머리에 익혔다.

국어가 끝나고 종이 쳤는데도 지호는 엎드려 있었다. 나는 지호가 걱정되어서 안쓰러운 눈으로 지호를 쳐다보면서 도와주려고 했는데 어제 내 자리 주위에서 이야기하던 애들이 몰려오면서 지호를 가렸다. 아쉬웠지만, 나는 이미 친한 지호보다 아직 덜 친하지만 먼저 용기를 내준 아이들과 이야기를 나눴고, 저번처럼 쉬는 시간을 그냥 옛날처럼 자리에 앉아서 보냈지만, 주위에 친구들이 있어서 지루하지 않았다. 지호는 옆에서 시끄럽게 해도 일어나지 않았고 겉으로 보기엔 엎드려서 죽은 줄 알았다.

그렇게 종이 치면서 죽은 줄 알았던 지호가 번쩍 일어났다. 그 이후로 지호는 다시 엎드리지 않았고, 집중해서 수업을 듣고 열심히 쉬는 시간에 친구들과 얘기했다. 나도 똑같이 그랬고 그렇게 6번을 더 반복하다 보니, 어느새 집에 갈 시간이었고 컬러랜드를 가는 날이 되기까지 그렇게 많이 남아있지 않았다.

집에 도착하니 4시였고, 나는 잠옷으로 갈아입고 침대에 누워 눈을 감고 오늘 있었던 일을 생각해 보았다. 그렇게 많이 특별한 일이 많지는 않았지만, 그래도 오늘 하루에 대해 다시 생각해 보며 친구들과 더 잘 지내기 위해서 어떻게 행동해야 할지 고민했다. 아쉬웠던 건 오늘 지호와 이야기 한마디조차 나누지 않았다는 것이었다.

오늘 하루에 관한 생각과 미래에 관한 생각 정리를 마친 후, 나는 책상 앞에 앉았고 오늘 학교 끝나고 여태까지 모은 돈으로 산 컬러링 북과 12색의 색연필을 꺼내 마음에 드는 페이지를 펴서 색연필을 쏟았다.

나는 색연필을 잡고 도안 위를 색칠했고, 종이도 색으로 가득 차게 되는 동시에 내 마음도 색깔로 가득 찼다.

D - DAY

2013년 6월 8일 목요일

드디어 그날이었다.

원래 기대하지 않았지만, 나를 포함해서 우리 반 모든 애들이 기대한 오늘이었다. 앞에서 설명했겠지만, 굳이 한 번 더 말하자면 컬러랜드로 가는 날이었다.

나는 지호와 같은 모둠이었기에 평상시에는 그러지 않았시만, 옷을 더 신경 써서 골랐고, 아빠가 전에 생일 선물로 준 화장품 몇 개를 발랐고 최선을 다해서 꾸몄다. 거울을 봤을 때 괜찮아 보였고 나는 그 모습을 믿고 밖으로 나갔다. 오늘은 재원이가 자기 모둠 친구들이랑 간다고 오늘 같이 못 간다고 해서 나 혼자 가게 되었다.

나는 문을 열고 나서며 세상 공기를 마셨다. 상쾌했다.

나는 사람이 외진 골목을 빠져나와 길로 나왔고 옆으로 돌아 정면을 응시한 채로 걸었다. 길에는 내 방향과 반대쪽으로 가는 사람들도 있었다. 그 사람들도 나처럼 정면을 응시한 채로 걸었는데 나를 힐긋 보더니 입을 손으로 막으면서 놀란 표정을 지으며 앞으로 갔다. 보는 사람마다 그랬다. 그리고 반대쪽으로 가는 사람뿐만 아닌 나와 같은 방향으로 가는 사람들도 뒤를 돌아보고 입을 막으며 가더니 다시 돌아보고 나를 보고 놀라는 것을 반복하면서 갔다. 그 눈빛이 부담스러웠지만, 은근히 그 눈빛을 더 받고 싶었다.

학교에 도착했을 때는 애들이 별로 오지 않아서 그 눈길을 받지 못해서 아쉬웠다. 나는 아쉬운 걸 잊고선 계단을 올랐다. 계단을 오르고 우리 반으로 가기 위해서 다른 반 들을 지나치며 작은 창문으로 볼 때 다른 반 애들은 이미 다 와있었다.

우리 반 애들도 거의 다 와있었지만 나 빼고 지호가 오지 않았다. 내가 교실에 들어왔을 때는 모든 애들이 다 와있었고 심지어 이것도 이른 시간이었는데 대단했다. 선생님도 와 계셨다. 애들은 생각보다 조용했고 나는 자리에 가서 앉았다. 선생님은 내가 앉은 걸 보고서는 말씀하셨다.

"자 오늘 체험학습을 가는 날인데, 한 명이 못 오게 되었어. 이미 짐작은 가겠지만 지호가 이번에 참석하지 못하게 되었는데, 앞으로도 만나기 어려울 거야. 지호는 집안 사정으로 인해서 이사 가게 되었어. 너무 갑작스러워서 인사 못 한 친구들이 많을 텐데, 아쉽지만 그렇게 되었다. 그래서 오늘 지호와 함께해야 했던 모둠은 그냥 지호를 뺀 채로 모둠으로 이동할 거야."

선생님 말씀을 듣는 순간, 머릿속에서 한 장면이 스쳐 지나갔다. 지호와 엄청나게 닮은 남자아이가 부모님에게 소리 지르는 장면과 어제 계속 힘이 없는 채로 있었던 지호가 생각났다.

그 소리 지르는 애가 지호였다.

아쉽고 슬프기도 했지만, 가장 충격적이었던 게, 나에게 말하지 않고 갔다는 것과 갑작스럽게 이렇게 간 것이었다. 지호를 봐서 이렇게 열심히 꾸미고 나왔는데 꾸민 것이 이제 아무 소용 없어진다는 것이 아쉬웠다.

그런데 아쉬운 점과 충격적이었던 점보다는 슬픔이 가장 컸다. 그냥, 오늘 하루를 전처럼 말 한마디도 하지 않고 조용하게 보내고 싶었다.

체험학습을 가기 싫었지만, 어쩔 수 없이 예정되어서 가게 되었고 버스를 타면서 옆에 짝꿍이 말을 걸어서 나는 최선을 다해 대답했고 그 이후로부터는 무시하고 답하지 않았다. 걔도 좀 눈치챘는지 그 이후로부터 말을 걸지 않았고 뒤나 앞에 있는 애들과 떠들었다. 덕분에 나는 그나마 조용히 갈 수 있었고 생각도 정리할 수 있어서 좋았다.

나는 지호를 좋아했고 지호도 나를 좋아하는 눈치였다. 근데 나는 하연이처럼 용기를 내지 못하고 그냥 마음으로만 좋아했던 것이었다. 만약 용기를 냈다면 어땠을까. 앞으로 보지도 못할 텐데, 용기를 낼 걸 그랬다. 걔도 나를 좋아했다면, 나랑 지호랑 이어졌을 텐데 아쉬웠다.

버스 밖에 풍경을 바라보면서 생각 정리하다 보니, 어느새 컬러랜드 코 앞이었다. 나는 오늘 친한 친구들과의 첫 체험학습을 망치고 싶지 않아서 좋지 않았던 기분을 넘기고 그냥 즐기기로 했다.

어차피 내가 용기를 내지 않아서 그랬기 때문이고, 지호가 이사를 간 것은 이제 과거이기 때문에, 과거까지 신경 쓰지 말고 현재에 집중할 것이다. 지호가 이사 갔다는 사실 하나로 내 남은 인생을 우울하게 보내며 망치고 싶지 않았다.

나도 지호에게 긍정적인 영향을 받은 만큼 지호도 나에게 긍정적인 영향을 받고서 좋은 추억으로 남겼으면 좋겠다.

나에게 지호는 첫사랑이었기 때문에 좋은 추억으로 남기고, 나도 현재를 살아볼 것이다. 지호에게 나는 첫사랑이 아닐 수도 있지만 거기서 잘 지냈으면 좋겠다.

나는 지호에게 들리지 않을 말을 마음으로 전하고서는 나도 인생의 새로운 시작을 알리는 문에서 내렸다. 나는 조금 전 우울했던 감정을 잊고 웃음으로 내 새로운 시작을 맞이했다.

나는 애들과 최대한 얘기를 많이 했고 놀이기구도 많이 타고 즐겁게 놀았다.

이제부터는 즐겁게 살 것이다.

이 일기는 지호를 만날 때부터 시작되었기 때문에, 다시 지호를 만날 때까지 다시 시작되지 않을 것이다.

다시 시작

2023년 12월 31일 일요일

10년 뒤 나는 25살이 되었고, 대학도 졸업했으며, 대기업에 취업도 했다.

오늘은 2023년도 마지막 날이고, 2024년 새해가 다가오고 있었다. 나는 오늘 친구들과 새해 카운트 다운을 길거리에 모여서 하기로 했다. 그래서 나는 10시에 퇴근하기 위해 하루 종일 일심히 일했고 그 결과 11시에 퇴근했고 30분 만에 약속장소에 도착했다. 도착한 뒤 나는 친구들을 찾기 위해 주변을 두리번거렸다. 두리번거리던 거리다 나는 친구들을 발견했고 친구들 쪽으로 손을 흔들며 가고 있었다.

그러다 누가 내 어깨를 손끝으로 치며 말했다.

"김나현! 김나현 맞지?"

내 이름이 들리자, 나는 뒤를 돌아보았다.

뒤를 돌아보는 순간, 익숙한 얼굴이 보였고 매우 반가웠다.

그 반가운 얼굴을 다시 보고 나서 나의 이야기가 다시 시작되었다.

평범한 하루에 다가온 너

작가의 말

안녕하세요.

저는 이 책을 쓴 6학년 작가입니다.

이 책은 6개월 동안 쓴 이야기로 오랫동안 쓴 책입니다.

처음 쓴 책이라서 이야기가 재미없고 시시하게 느껴질 수
있고 부족하게 느껴질 수도 있지만, 그래도 고려하여
읽어주시길 바랍니다.

감사합니다.

윤세현

평범한 하루에 다가온 너

발　행 | 2023년 12월 01일
저　자 | 윤세현
펴낸이 | 한건희
펴낸곳 | 주식회사 부크크
출판사등록 | 2014.07.15.(제2014-16호)
주　소 | 서울특별시 금천구 가산디지털1로 119 SK트윈타워 A동 305호
전　화 | 1670-8316
이메일 | info@bookk.co.kr

ISBN | 979-11-410-5677-3

www.bookk.co.kr
ⓒ 윤세현 2023